УГЛИЧ
UGLICH

UGLICH

Monuments
of Architecture
and
Fine Arts

Moscow
Sovetskaya Rossiya Publishers
1988

УГЛИЧ

Памятники архитектуры и искусства

Москва
«Советская Россия»
1988

из значительных экономических и культурных центров Московского государства. Видимо, талант, энергия и независимость князя Андрея стали опасны для Ивана III, который усмотрел в младшем брате сильного соперника. В 1491 году угличский князь был неожиданно арестован и заточен в переславскую темницу, где вскоре скончался. С той поры Углич навсегда теряет свою независимость, им правят наместники великого князя. Большой пожар, случившийся в это время, довершил упадок города.

Утрата былых преимуществ «стольного града» не способствовала развитию дорогостоящего по тем временам каменного строительства, которое осуществлялось лишь в богатых окрестных монастырях. Поэтому в самом Угличе практически нет памятников архитектуры XVI века, но именно в этот период здесь произошли события, навсегда вошедшие в историю России.

В 1550 году в дремучих лесах под Угличем была построена деревянная крепость, которую в разобранном виде переправили по Волге под осажденную Казань. Крепость собрали (впоследствии она послужила основанием города Свияжска), и выступившие оттуда русские войска в октябре 1552 года штурмом взяли Казань.

В 1584 году, вскоре после смерти Ивана Грозного, в Углич был привезен младший сын царя Дмитрий вместе со своей матерью, опальной царицей Марией Нагой. Их сопровождала большая свита, в которую входил чуть ли не весь род Нагих, сослан-

6 Меры объема сыпучих тел. XVIII в.
Dry measures. 18th century

ных по наущению Бориса Годунова, и отряд стрельцов охраны. Этот приезд придал Угличу видимость стольного города. Однако пребывание царственных особ закончилось для угличан печально. Неожиданная гибель царевича послужила причиной народного восстания 15 мая 1591 года, жестоко подавленного властями. Специально созданная комиссия, в которую входили боярин В. И. Шуйский, окольничий А. П. Клешнин, думный дьяк Е. Вылузгин, а также митрополит Геласий вели следствие по так называемому «Угличскому делу». 2 июня того же года «Угличское дело» докладывалось Геласием на заседании Освященного собора, по решению которого было передано на усмотрение царя. Мария Нагая была пострижена в монахини, а значительное число посадских людей, участников восстания, было выслано «на житье» в Сибирь. Происшедшие события навлекли на Углич опалу. «Множество людей сведоша в Сибирь... а с того времени Углич запусте...» — сообщают местные летописи. Время это было названо в народе «годуновым разорением».

В Угличском историко-художественном музее экспонируется знаменитый «ссыльный» колокол — свидетель и участник майских событий 1591 года. Как рассказывает легенда, колокол был признан «виновным» в призыве народа на мятеж против властей и подвергся «наказанию»: ему отрубили ухо, вырвали язык, после чего «сослали» в Тобольск. На колоколе вырезана надпись: «Сей колокол, в которой били в набат при убиении благоверного царевича Димитрия. В 1593 году прислан из

7 Цеховые знаки угличских ремесленных цехов. XVIII в.
Hallmarks of Uglich craftsmen's guilds. 18th century

Отсюда и старинное название кремля — укрепленной части многих древнерусских городов — «рубленый город». Две из башен — южная Никольская и западная Спасская у речки Шелковки — были проезжими. К ним вели широкие деревянные мосты, перекинутые через рвы. В центре крепости располагался воеводский двор — резиденция новой администрации, сменившей удельного князя. Ближе к Волге стоял Преображенский собор. К востоку от него — опустевшая, со следами разрушений княжеская каменная палата. Рядом — деревянная церковь царевича Дмитрия. Западнее собора, на берегу пруда, сохранившегося до наших дней, стоял каменный погреб для «государевой рыбы». В XVII веке жилая посадская застройка проникла на территорию кремля — здесь насчитывалось более двадцати дворов с огородами. Преобразования в экономической и культурной жизни России XVIII века сказались на архитектурном облике Углича, в котором развитие промышленности и торговли способствовало увеличению масштабов каменного строительства, в особенности жилого.

В XVIII веке преобразуется и городское управление Углича. В 1719 году он становится центром провинции, в связи с чем был утвержден герб, «сочиненный» в герольд-конторе, основанной Петром I, и присвоенный городу в 1730-х годах. На деревянном круглом щите диаметром более метра помещено иконописное изображение стоящего в рост царевича Дмитрия на фоне восходящей зари, позема с горками и раститель-

10 Вид на центральную часть Углича.
Фотография 1900-х гг.
View of the central part of Uglich.
1900s. Photo

ными побегами. По кругу — надпись «Герб Угличской провинции». В XVIII веке этот герб украшал Никольскую башню угличской крепости.

Во второй половине XVIII века в России повсеместно начинается большая работа по составлению генеральных планов городов. Русское градостроительство отличалось многообразием приемов регулярной планировки, пространственной взаимосвязью и художественным единством архитектурных ансамблей, в которых обычно старая застройка гармонично сочеталась с новой. В 1778 году был разработан генеральный план Ярославля, где применялась лучевая система улиц, которые являлись основой всей планировочной композиции и были направлены к центральному ядру города, а в 1784 году — Углича. Застройка по этому плану велась неукоснительно вплоть до 1809 года. К достоинствам плана следует отнести то обстоятельство, что проектировщики бережно отнеслись к наследию прошлых веков. Они сохранили сложившуюся радиально-кольцевую планировку древнего города, выпрямив и расширив главные магистрали. Учитывая, что архитектурные памятники украшают город, оберегая его застройку от однообразия, которое появилось в результате применения «образцовых» проектов домов, они создали у каждого из древних сооружений небольшие площади для лучшего их обзора. Улицы «спрямлялись» таким образом, чтобы памятники зодчества выделялись в рядовой застройке. По плану 1784 года благодаря четкой ориентации улиц ансамбли монастырей с вертикалями

11 Вид на торговую площадь. Фотог-
рафия 1900-х гг.
View of the market square. 1900s.
Photo

колоколен и мощными объемами соборов становились своеобразными архитектурными акцентами основных магистралей города. Так, например, перспективу главной оси Углича север — юг (Ростовская улица), четко выделенной новым планом, завершает Преображенский собор. Застройка центра Углича, осуществленная по первому генеральному плану, сохранилась до нашего времени. Она тщательно оберегается, взята под охрану как памятник градостроительного искусства XVIII—XIX веков.

К началу XX века Углич превратился в заурядный провинциальный город Российской империи. «Углич — сонный город на Волге… Слава прожита и не верится, что на старом пепелище расцветет снова жизнь…» — так с болью и неверием в будущее города писал известный дореволюционный историк Ю. И. Шамурин.

Годы Советской власти преобразили древний Углич. Русский писатель Антоний Погорельский сказал когда-то, что «города перед людьми имеют то преимущество, что они иногда с летами становятся красивее». Эти слова с полным правом можно отнести к современному Угличу.

Новое строительство в сочетании с восстановленными памятниками архитектуры, яркая зелень парков, полноводная Волга, по которой плывут белоснежные сверкающие корабли, — таким в наше время стал старинный «сонный город».

В советское время Углич пополнился новыми выразительными сооружениями. Монументальные строения Угличской ГЭС — одной из первых станций Волжского

12   Набережная Волги
На переднем плане—церковь Дмитрия «на крови»
Volga embankment
In the foreground, Church
of St. Demetrius-on-Blood

каскада и шлюза, комплексы Всесоюзного научно-исследовательского института маслоделия и сыроделия, часового завода отражают жизнь нового Углича, ставшего одним из индустриальных центров Поволжья. В облике социалистического Углича объединены достижения современности и опыт прошлого, но при этом бережно сохраняется поэтический облик древнерусского города. Этому способствует как вдумчивая застройка новых районов, так и большие работы по реставрации и использованию древних памятников истории и архитектуры.

Прекрасные лирические страницы книги «Дневные звезды» посвятила Угличу писательница Ольга Берггольц. Здесь прошли ее детские годы, а ныне одна из улиц названа ее именем: «...город детства возник на раннем рассвете, в туманце, за марлей мельчайшего теплого дождя, в том самом странном мерцании, в каком снился много лет подряд. И не волнение, а настороженная тишина встала во мне, когда я увидела его еще издали, еще до входа под грандиозную арку шлюза с аккуратно-пышным цветником, рядом с прямоугольным, огромным... зданием знаменитой гидростанции.

Мой городок больше не высился на стремительно крутом зеленом откосе: поднятая плотиной вода подошла почти вплотную к его бульвару, к терему Димитрия-царевича, к древним церквушкам на берегу... с возникновением водохранилища высоко поднялись в городе грунтовые воды, и грунт размягчился, стал иным, чем несколько

13 Туристские теплоходы у волжского
причала
Tourist motor ships by moorage

столетий назад, когда воздвигались эти церкви, эти колокольни и монастыри, все еще сказочной красоты, кротко и непримиримо вздымающие над водой свои потемневшие главки... за купами деревьев и кровлями, строго, печально и стройно возносясь в чуть голубевшее небо, виднелись три шатра Дивной — церкви Алексеевского монастыря, три с половиной столетия назад названной так народом за свою поистине дивную архитектуру».

Небольшие ремонтные работы, проводимые различными учеными обществами в дореволюционное время, из-за скудости средств не приносили ощутимых результатов. И. А. Тихомиров в начале XX века в связи с аварийным состоянием угличских памятников писал: «Не находится достойного гражданина, который помог бы своими средствами спасти их для потомства и науки». Планомерное исследование древних сооружений началось практически сразу после Великой Октябрьской социалистической революции. Уже в начале 1920-х годов в Угличе под руководством известного реставратора П. Д. Барановского проводились научно-исследовательские и реставрационные работы памятников кремля и Успенской («Дивной») церкви.

В 1952 году в Угличе организуется участок Ярославской научно-реставрационной мастерской. За время существования его около тридцати памятников истории и культуры Углича восстановлены и включены в современную жизнь города. Так, по мере восстановления зданий Угличского кремля в них размещаются новые отделы историко-художественного музея.

14 Парк на территории Угличского кремля
Park on the territory of the Uglich Citadel

15   Каменный ручей на территории Уг-
личского кремля
Old pond on the territory of the Uglich
Citadel

Кремль

Так сложилось, что все основные события истории древнего Углича связаны с его кремлем. Начиная с XVII века кремль утратил свое былое значение в жизни города, но строительство здесь продолжалось вплоть до XIX столетия, поэтому каждая эпоха, начиная с XV века, оставила на территории бывшей крепости памятники архитектуры.

От времени «княжеского» Углича из дворцового ансамбля сохранилась лишь Палата царевича Дмитрия. Она была частью дворца, построенного при князе Андрее Васильевиче в 80-х годах XV века. Поэтому правильнее было бы называть ее Палата дворца князя Андрея или Палата дворца удельных князей.

Древняя постройка стала немым свидетелем драматических событий пятивековой давности. Здесь, у ее стен, погиб последний сын Ивана IV царевич Дмитрий. Долгое время после гибели царевича Палата оставалась в запустении, а в начале XVII века, в период польско-литовской интервенции, она подверглась разрушению и в таком виде простояла до XVIII столетия. Тогда местные власти хотели разобрать ее, чтобы использовать кирпич для строительства нового Спасо-Преображенского собора. Успели разобрать лишь часть западной стены, но, к счастью, тем дело и ограничилось. В середине XVIII века ремонт совершенно обветшавшего здания был поручен талантливому архитектору Д. В. Ухтомскому. Состояние Палаты было таково, что опытный зодчий пришел к выводу: «...дворец в починку быть не годен». Но меры к сохранению древнего сооружения все же были приняты — над Палатой сделали тесовый навес, предохранивший памятник от окончательного разрушения.

В начале XIX века на средства местных купцов был произведен ремонт здания, в результате которого возвели крышу, крытую железом. На внутренних стенах появились росписи, следы которых видны и сейчас.

В 1890-х годах реставрацией памятника занялся петербургский архитектор Н. В. Султанов. Восстановление угличской Палаты бывшего княжеского дворца явилось, по сути, одной из первых попыток научной реставрации в России. Однако спешка, в которой пришлось работать реставраторам (Палату готовили к трехсотлетней годовщине со дня гибели царевича Дмитрия), а также незначительный еще в те времена опыт реставрационного дела не позволили со всей полнотой провести исследование древнего сооружения. Очевидно, поэтому здание получило новые включения, внесенные по проекту Н. В. Султанова, — северное крыльцо, плоское перекрытие на первом этаже, медную кровлю вместо черепичной. Несмотря на это, Палата не утратила своей историко-художественной ценности, так как основная часть здания все же сохранилась. В 1892 году реставрация была закончена и здесь был открыт музей древностей.

Раскопки, проводимые в 90-х годах XIX века и позднее, в 1900 году, И. А. Тихомировым, дают основание предполагать, что Палата была частью дворца, по композиции напоминавшего дворцовые княжеские комплексы в Боголюбове и в Московском Кремле. По всей видимости, в центре находились жилые покои, по бокам — хозяйственные постройки, с запада примыкал Преображенский собор, с востока — парадная Палата. Изыскания ученого подтвердили советские археологи, основываясь на результатах раскопок, проведенных в самые последние годы.

Палата дворца удельных князей является не только самым древним сооружением Углича, но и одним из ранних памятников гражданской архитектуры в России. В XV

Текст к разделу написан при участии В. И. Ерохина.

веке подобные сооружения, кроме Углича, были возведены в Новгороде — Владычная палата (1433) и в Москве — Грановитая палата, которая строилась почти одновременно с угличской.

Судя по архитектуре, строителями угличской Палаты могли быть псковичи, во второй половине XV века нередко привлекавшиеся к работе в другие города России, в том числе и в Москву. Так, при великом князе Иване III псковские мастера строили Благовещенский собор (1489) и церковь Ризположения (1486) в Московском Кремле.

Сама композиция Палаты, ее кубообразный объем с восьмискатной крышей — излюбленный прием псковско-новгородской архитектуры. Особенно ярко эти черты проступают в декорации фасадов. На щипцах использован один и тот же мотив — одиннадцать рядов кирпичного орнамента, в который включены детали, чаще всего встречающиеся в псковском и новгородском зодчестве — сочетание рядов «бегунка» и «поребрика». Над окнами расположены декоративные полуарочки — «бровки». Наиболее интересны нижние ряды декоративного узорочья — терракотовые балясины в уступчатых нишах и керамические квадратные плитки, украшенные растительным орнаментом. Впервые в гражданской архитектуре Руси эти детали были применены в Угличе на фасадах Палаты. Подобный орнамент из балясин и плит украшает фасады Ризположенской церкви Московского Кремля. Орнамент терракотовых плит состоит из трилистников, оплетенных побегами сердцевидной формы. Каждая плита включает двойной раппорт свободного, слегка асимметричного рисунка. Мягкая пластика рельефа как бы перенята от дерева матричных форм, с помощью которых делались плиты. Первоначально плиты и балясины дворцового декора были покрыты слоем белого ангоба.

На втором этаже Палаты, у восточной стены, на том месте, где некогда была печь, сейчас стоит точная копия изразцовой печи XVIII столетия. Печь была установлена в 1892 году к открытию музея. Она сложена из объемных изразцов, изготовленных на знаменитом фарфоровом заводе ярославского фабриканта Аксенова, расписанных зеленой и желтой эмалями, поставлена на цоколе, посредине обведена пояском из балясин и увенчана сложным, сильно выступающим карнизом. Русские изразцовые печи того времени напоминали архитектурные сооружения с четкими горизонтальными и вертикальными членениями. Такая печь всегда являлась организующим и декоративным ядром помещения.

После того как Угличский кремль перестал быть княжеской резиденцией, здесь надолго прекратилось каменное строительство, возобновившееся лишь во второй половине XVII века. Единственным памятником того времени на территории кремля стала церковь Дмитрия «что на крови».

По преданию, храм построен на месте гибели царевича и является мемориальным памятником последнему из рода Рюриковичей.

История постройки церкви такова. Долгое время на месте гибели царевича ничего не строили. Вскоре после окончания войны 1608—1611 годов здесь возвели деревянную часовню, а потом — деревянную церковь. В 1638 году последовало распоряжение царя Михаила Федоровича «о построении каменной церкви», но началось строи-

16 Центральная площадь Угличского кремля
Богоявленский (Зимний) собор. XIX в.
Колокольня Спасо-Преображенского со-
бора. 1730
Спасо-Преображенский собор. 1713
Палата дворца удельных князей. 1482

Central square in the Uglich Citadel:
Cathedral of the Epiphany (heated).
19th century. Bell-tower of the Cathedral of the Transfiguration. 1730.
Cathedral of the Transfiguration. 1713
Appanaged Princes' Palace. 1482

тельство лишь в 1661 году. Наконец, в 1692 году на средства княгини Черкасской, родственницы бывшей царицы Марии Нагой, каменная церковь была достроена. К XVIII веку церковь, как и весь княжеский «рубленый город», обветшала. В 50-х годах XVIII века храм реставрировался под руководством архитектора Д. В. Ухтомского. В прошлом столетии памятник подвергся различным переделкам: к северному фасаду пристраивается придел, стесываются наличники первого этажа, наружные стены церкви перекрашиваются в темно-бордовый цвет.

Церковь Дмитрия «на крови» относится к распространенному в конце XVII века типу бесстолпных пятиглавых церквей с трапезными. В облике памятника отчетливо прослеживаются традиции московской архитектуры второй половины XVII столетия — прежде всего в богатстве декора фасадов. Угличская церковь напоминает Знаменский собор в Зарядье. Интересен южный фасад церкви, обращенный к дворцовой Палате, который можно расценивать как главный. Обилие деталей — наличники с традиционным завершением в виде кокошников, сдвоенные колонки, обрамляющие углы центрального объема, широкий профилированный карниз и яркие изразцовые вставки — придает фасаду праздничный вид, совсем не соответствующий печальному событию, в память о котором сооружена церковь. Лишь росписи западной стены интерьера центрального куба воскрешают эпизоды, связанные с гибелью царевича Дмитрия. Роспись осуществлена артелью художников московского подрядчика Сапожникова в 1772 году. Западную стену занимает композиция «Убиение царевича Дмитрия», являющаяся уникальным образцом исторической монументальной живописи в интерьере культового памятника. Композиция росписи восходит к станковым и графическим образцам, создававшимся живописцами XVII—XVIII столетий. Основной особенностью этих образцов было крупное центральное изображение царевича в окружении отдельных сцен, составляющих целостное построение, объединенное общим ритмом.

Развитие сюжета читается слева направо и включает несколько последовательных разновременных событий, сменяющих друг друга в соответствии с житийным повествованием. Наверху, в тереме, — сцена одевания царевича; ниже, у лестницы, — эпизод убийства, далее — мертвый царевич в окружении сбежавшихся по звону колокола угличан и динамичная сцена расправы горожан над убийцами, скачущие в Москву гонцы и перенесение останков Дмитрия в столицу.

Живопись храмовой части стилистически связана с крупнейшей школой монументальной живописи Ярославля и Костромы XVII века. Однако она уступает лучшим ее образцам, являясь поздним истолкованием некогда великих традиций. Здесь утрачено изящество пропорций, приглушена цветовая гамма, плавная величественность движений заменена барочной театральной экспрессией.

Стенопись трапезной, выполненная в 1788 году мастером Петром Хлебниковым, отличается от стенописи центрального куба. Традиционное изображение ветхозаветного библейского сказания «О сотворении мира и грехопадении Адама и Евы» выполнено в реалистической манере. Светотеневая моделировка создает впечатление осязаемой пластики обнаженного человеческого тела. Пейзажный фон намечает второй план и зрительно увеличивает глубину композиции. Ритмические повторы линий, жестов, ракурсов сообщают внутреннее движение и завершенность каждой сцене. Пестрый колорит отдельных частей росписи — результат поздних ремесленных поновлений.

Из деталей интерьера интересна дверь трапезной, сохранившаяся со времен основания церкви. Полотно двери расписано и мастерски украшено коваными металлическими накладками ажурного рисунка.

XVIII век оставил в Угличском кремле наиболее интересный памятник того времени — Спасо-Преображенский собор, самое крупное сооружение кремлевского ансамбля. Построен он в 1713—1716 годах вместо собора XV века, сооруженного при князе Андрее Большом. В угличских писцовых книгах сохранилось его описание: «Собор... на высоких папертях об одной главе... крыт по закомарам тесом, а глава на деревянных дугах покрыта чешуею деревянною. А в той церкви исстари было стеновое письмо. Да в паперти колокольница рубленая шатровая... да на той колокольнице часы боевые».

Спасо-Преображенский собор воплотил в своем облике черты, характерные для архитектуры начала XVIII века, особенностью которой было сочетание традиций древнерусского зодчества и новых приемов. Дань прошлому сказалась в композиции, основой которой является массивный центральный куб, увенчанный пятью главами. В оформлении фасадов присутствуют новые декоративные формы. Так, здесь применены наличники с «разорванными» сандриками — деталь, характерная для архитектуры русского барокко.

Конструкция сооружения соответствует достижениям строительства XVIII века, когда строятся в основном бесстолпные церкви. Поражают размеры центрального объема, где четырнадцатиметровый пролет перекрыт легким сводом высотой семнадцать метров без помощи опорных столбов. Подобное инженерное решение ставит угличский собор в ряд лучших сооружений русской архитектуры начала XVIII века. Отсутствие опорных пилонов дало возможность древним зодчим максимально раскрыть внутреннее пространство храма. Большие плоскости стен способствовали размещению крупных живописных композиций и хорошему их восприятию.

Расписала собор в 1810—1811 годах артель крепостных мастеров под руководством «знаменитого по епархии живописца» Тимофея Медведева из села Тейково Владимирской губернии. Художники уверенно владели приемами академической школы, поэтому живопись отличается достаточно высоким уровнем ремесленного мастерства.

Более пятидесяти композиций выполнены по образцам позднего Возрождения и барокко. Храмовая фреска «Преображение» со сценой исцеления бесноватого является копией с картины Рафаэля. Провинциальный художник утрировал работу великого мастера, отличающуюся внешней патетикой и динамикой страстей. Резкие контрастные цвета вызывают ощущение дисгармонии.

Сильный декоративный эффект производит включение живописи в «рисованную архитектуру»: уходящие вдаль колоннады, выступающий портик с «разорванным» фронтоном, резные картуши, карнизы создают иллюзию пространства, перспективу для размещения фресок. Этими средствами усиливается задача зрительного расширения объема: как бы разрушается замкнутость, материальность стен.

Грандиозный многоярусный иконостас Преображенского собора установлен в 1860 году. Он варьирует формы пышного «нарышкинского барокко», однако пластика его суха. Убывающие по ярусам колонки, оплетенные вьющейся лозой, раскрепованные карнизы составляют обрамление икон. Наиболее старые иконы находятся в нижних ярусах. «Покров Богоматери» — образец живописи ярославской школы XVII века. К этой же школе принадлежат иконы праздничного чина, написанные, вероятно, в начале XVIII века одновременно с сооружением собора. Иконы Спаса и Богоматери в местном ряду по обеим сторонам царских врат своим общим темным колоритом и золочеными лепными фонами напоминают произведения украинского барокко XVII века. Иконы попали в собор на рубеже XVII—XVIII столетий, когда кафедру Ростовской епархии, куда входил и Углич, возглавляли митрополиты-малороссы Иосаф и Дмитрий.

Рядом с собором высится тридцатипятиметровая колокольня, возведенная в 1730 году, на полтора десятилетия позднее собора. Возможно, задержка строительства произошла из-за вступившего в силу в 1714 году петровского указа, запрещавшего строительство каменных сооружений в провинции. Колокольня относится к типу ярусных. Примечательно, что в Угличе сохранилась еще одна подобная колокольня — у Корсунской церкви, выстроенная одновременно с соборной. Внутри кремлевской колокольни сохранился механизм башенных часов с боем — редкий памятник искусства часовщиков XVIII века, ставший сегодня музейным экспонатом. В наше время мастера Угличского часового завода установили на колокольне современные электронные часы с боем, и вновь над древним городом раздается мелодичный звон. Так встретились творения угличских мастеров XVIII и XX веков, символизируя преемственность и развитие традиций.

К XIX веку значительно изменился облик кремля. Не стало городской крепости, разобранной «за ненадобностью» еще в XVIII веке, на территории кремля был разбит городской парк, где в деревянных беседках по воскресным дням играл духовой оркестр и торговали сладостями.

Одним из последних сооружений на территории Угличского кремля было здание городской думы (дом градоначальника), выстроенное в 1813—1815 годах по проекту Л. Руска. Это двухэтажный дом с мезонином, с двумя равнозначными — северным и южным — фасадами, центральные ризалиты которых выделены шестиколонными портиками. Колонны трехчетвертные, сужающиеся кверху. Но, в сущности, архитектура его ничем не примечательна. Здание было одним из тех, что строились по «образцовым» фасадам, присланным из столицы. Памятник представляет в основном историческую ценность — здесь в декабре 1917 года была провозглашена Советская власть в Угличе.

В 1830-е годы в восточной части кремля возводится одноглавый Богоявленский (Зимний) собор. «Протяженное здание с плоскими монотонными фасадами, — пишет видный искусствовед Б. М. Кириков в глубокой, содержательной книге «Углич», — нарушило сложившиеся в ансамбле видовые перспективы. В то же время оно образовало новые взаимосвязи в «нижнем ярусе» кремлевского комплекса — мотив входного портика с парными колоннами варьируется в близких по композиции классицистических портиках Спасо-Преображенского собора».

В настоящее время территория кремля является заповедной. В древних зданиях разместились отделы Угличского историко-художественного музея.

17 Палата дворца удельных князей. 1482
Восточный фасад
Appanaged Princes' Palace. 1482
Eastern façade

33

18 Палата дворца удельных князей. Северное крыльцо. 1892
Appanaged Princes' Palace.
Northern porch. 1892

19 Палата дворца удельных князей. Резная дверь входа. XIX в.
Appanaged Princes' Palace. Entrance door with carved decoration.
19th century

20 Палата дворца удельных князей.
Копия изразцовой печи XVIII в.
Appanaged Princes' Palace. Copy of
18th-century tile stove

21 Изразцовая печь. Фрагмент
Painted decoration of tile stove

22   Палата дворца удельных князей
Узорчатая кладка фасада.
Фрагмент
Appanaged Princes' Palace. Tile de-
coration on the exterior

23   Церковь Дмитрия «на крови». 1692 ▶
Church of St. Demetrius-on-Blood.
1692

40

24 Купола церкви Дмитрия «на крови»
Domes of the Church of St. Demetrius-on-Blood

25 Церковь Дмитрия «на крови». Роспись западной стены центрального объема. XVIII в. Фрагмент
Church of St. Demetrius-on-Blood. 1692
Frescoes on western wall of the interior. 18th century

26   Церковь Дмитрия «на крови». Роспись западной стены. Фрагмент «Царевич Дмитрий и Мария Нагая». XVIII в.
Church of St. Demetrius-on-Blood. Fresco showing *Tsarevich Dmitry and His Mother Maria Nagaya* on western wall of the interior. 18th century

27   Церковь Дмитрия «на крови». Иконостас. XIX в.
Church of St. Demetrius-on-Blood. Iconostasis. 19th century

28   Церковь Дмитрия «на крови».
Дверь, обитая кованым железом.
XVII в.
Church of St. Demetrius-on-Blood.
Wooden door coated with iron.
17th century

29, 30   Церковь Дмитрия «на крови»
Мастер Петр Хлебников. Роспись
трапезной на сюжет «О сотворении
мира и грехопадении Адама и Евы».
XVIII в.

Church of St. Demetrius-on-Blood. Frescoes showing *The Creation and the Fall of Adam and Eve* on walls of the refectory; painted by Pyotr Khlebnikov. 18th century

31

Кремль. Пруд у Спасо-Преображенского собора
Pond by the Cathedral of the Transfiguration in the Uglich Citadel ▶

34 Богоявленский (Зимний) собор. XIX в.
Cathedral of the Epiphany (heated).
19th century

35 Здание бывшей городской думы.
1813—1815
Building of the former City *Duma*.
1813—1815

Посад и окрестности города

К XVII веку окончательно сложился градостроительный облик Углича, традиционный для всех древнерусских городов. Ядром планировки оставался кремль, обнесенный деревянными стенами. Далее шла основная часть застройки — посад, который охватывал кремль широким полукругом.

Существующая крепость уже не могла защитить разросшуюся территорию города. Поэтому посад обнесли мощным земляным валом, отчего эта часть застройки называлась «земляным городом». Незначительные остатки вала видны и сейчас у Селивановского ручья. За городским валом и вдоль Волги размещались слободы: Рыбная, Тетерина, Иерусалимская, Псарейная, Рождественская и другие. Здесь проходило последнее кольцо застройки — промысловая часть города, где ловили рыбу, разводили скот, где располагались небольшие промышленные предприятия — кожевенные, свечные, льняные. Центром посада был торг — главная торговая площадь, начинавшаяся сразу за крепостными рвами, вплотную примыкая к южной границе кремля.

В XVII веке Углич вел интенсивную торговлю с Москвой, Новгородом, Ярославлем, Астраханью и другими городами России. В связи с этим роль торга возрастает — он становится деловым центром. Здесь стояли ряды лавок, в которых торговали местными товарами — лесом, пушниной, кожей, в том числе дорогой белой и красной юфтью, воском, полотном. На торгу располагались таможня, губная (судная) изба, важня (весовая), кабаки (кружала).

В XVIII—XIX веках площадь расширяется, вместо деревянных торговых рядов строятся каменные, появляется традиционный для городов Поволжья гостиный двор с лавками, заезжим двором, трактирами.

Два крыла гостиного двора, стоящие по обе стороны от Ростовской улицы, можно видеть до сих пор. Среди построек города и гостиного двора интерес представляют две каменные одностолпные палаты, одна из которых расположена в первом этаже здания по Ростовской улице, другая — у бывшего Филипповского моста.

В восточной стороне площади сохранилось единственное деревянное здание, где в 1898 году была открыта первая в Угличе городская библиотека.

От торговой площади лучами расходились в разные стороны улицы-дороги, древние названия которых указывали их направление. Так, Ярославская улица (ныне улица Карла Либкнехта) шла от торговой площади вдоль берега Волги. От центра на юг — улица-дорога на Ростов Великий (Ростовская улица). В юго-западной части города проходила дорога на Москву. Главные улицы, расходящиеся радиусами от торговой площади, пересекались кольцевыми, что шли от центра, охватывая все большее пространство городской застройки. Такая радиально-кольцевая схема планировки была традиционной для многих древнерусских городов. На пересечении главных улиц с кольцевыми образовались небольшие площади, у которых располагались монастырские ансамбли. В юго-западной части, у дороги, идущей в московском направлении, расположен ансамбль Воскресенского монастыря. В противоположной стороне, в северо-восточной части города, у дороги, ведущей в Ярославль, поднялся Алексеевский монастырь. А на прямой дороге, идущей от центра на юг в сторону Ростова, рядом с городским земляным валом — Богоявленский монастырь.

Самый древний из угличских монастырей — Алексеевский — построен на возвышенности, называемой в древности Огневой горой. Монастырь был основан в 1371 году крупным московским политическим деятелем митрополитом Алексием как идеологический и военный форпост набирающего силы Московского государства. Вплоть до XVI века постройки монастыря почти все были деревянными. В 1522 году здесь строится первое каменное здание угличского посада — Алексеевская церковь. К сожалению, в XIX веке она была полностью переделана, и теперь уже ничто не напоминает самую старую из каменных церквей Углича.

В период польско-литовской интервенции 1608—1611 годов Алексеевский монастырь был почти полностью разрушен, угличане, защищавшие подступы к городу, убиты. Очевидно, в память о жителях города, погибших при осаде монастыря, в 1628 году здесь строится трехшатровая Успенская церковь с трапезной. За красоту и необычность архитектуры церковь на вершине Огневой горы, белым обелиском взметнувшуюся ввысь, в старину назвали «Дивной». В трапезной церкви отсутствуют подсобные помещения, первый этаж, где обычно размещалась кухня, не связан с основным этажом. Это наводит на мысль о том, что «Дивная» предназначалась не для обычных трапез, а для торжеств. Это была парадная палата, в которой, по-видимому, отмечали годовщины освобождения от интервентов, дни поминовения павших, принимали именитых гостей. Безвестный зодчий, возводя «Дивную», строил храм-памятник, подобно собору Василия Блаженного в Москве, церкви Вознесения в Коломенском.

Трехшатровая каменная церковь — явление для Углича исключительное: до «Дивной» и после нее подобных сооружений здесь не было. Появление каменной шатровой церкви в Алексеевском монастыре объясняется, видимо, непосредственным влиянием московского зодчества, где строительство шатровых церквей было достаточно развито. Известно, что шатровые постройки, возникшие в Ярославском крае в XVI веке, связаны с традициями московской архитектуры.

Достаточно вспомнить переславские церкви — Никитскую в селе Елизарове и Петра Митрополита. Из летописных сведений узнаем, что строительством в Алексеевском монастыре во время сооружения «Дивной» ведал некий «старец Михаил», прибывший из Москвы, но был ли он зодчим, построившим «Дивную», неизвестно.

Архитектура Успенской церкви отличается простотой и монументальностью — высокий подклет, большая одностолпная трапезная палата во втором этаже, завершение церкви тремя шатрами. Сдержанность и простота декора, почти отсутствующего на белоснежных фасадах, придают древнему сооружению ту скульптурность форм, что была присуща раннемосковскому зодчеству.

В конце XVIII — начале XIX века церковь неоднократно подвергалась переделкам: памятник лишился крыльца, были растесаны окна, сбиты наличники, изменена форма глав и крыши. В конце концов, трапезную приспособили под покои архимандрита. Реставрационные работы, начавшиеся в 1920-х годах под руководством Барановского и продолженные сотрудниками Ярославской реставрационной мастерской в 50-е годы, помогли спасти памятник от разрушения, вернули ему первоначальный облик.

36 Бывший древний торговый центр
    Углича (ныне — площадь Комму-
    ны) с сохранившимися корпусами
    торговых рядов XVIII—XIX вв.

Ancient trade centre of Uglich (at
present, Kommuna Square) with survived buildings of trading rows built in
the 18th and 19th centuries

37 Ансамбль Алексеевского монастыря. Справа — Успенская («Дивная»)
церковь. 1628; слева — церковь
Иоанна Предтечи. 1681

Architectural complex of the Alexeyev- ►
sky Monastery (of St. Alexius): to the
right, Church of the Assumption
(Miraculous), 1628; to the left, Church
of St. John the Precursor, 1681

38 Успенская («Дивная») церковь. Восточный фасад. Аркатурный пояс.
Фрагмент
Church of the Assumption (Miraculous).
Portion of range of arches on
eastern façade

39, 40 Успенская («Дивная») церковь. Восточный фасад. Шатры
Church of the Assumption (Miraculous)
Eastern façade and tent-roofs

Рядом с «Дивной» стоит небольшая пятиглавая церковь Иоанна Предтечи. Построенная полвека спустя, в 1681 году, церковь уже ничем не напоминает свою великую предшественницу. В середине XVII столетия начал действовать запрет на строительство шатровых церквей, как не соответствующих церковным канонам. И хотя ко времени постройки Предтеченской церкви строгость запрета отпала, в церковном зодчестве крепко утвердились пятиглавые храмы.

В архитектуре церкви Иоанна Предтечи Алексеевского монастыря отразились черты, характерные для угличского зодчества последней четверти XVII века — богатство декора фасадов, измельченность форм. Наиболее интересным в художественном решении фасадов памятника является использование ярких многоцветных изразцов. Внутри церкви сохранились росписи, напоминающие фрески Спасо-Преображенского собора кремля.

Расцвет угличского каменного зодчества наступает в 1670-е годы. На это время приходится сооружение ансамбля Воскресенского монастыря. Основные его здания строятся в течение 1674—1677 годов. Первоначально монастырь, основанный в XV веке, находился на самом берегу Волги, там, где сейчас стоит церковь Рождества Иоанна Предтечи, в западной оконечности города. В камне ансамбль возводился по инициативе ростовского митрополита Ионы Сысоевича, по преданию, в юности бывшего иноком этого монастыря. «...Да еще на монастыре строят церковь каменную... с приделами... высокими папертями, а под папертями со всех сторон

41   Церковь Иоанна Предтечи Алексеевского монастыря. Восточный фасад
Church of St. John the Precursor. 1681 Eastern façade

42   Церковь Иоанна Предтечи. Изразец южного фасада
Tile decoration of southern façade of the Church of St. John the Precursor

43 Вид на центральную часть города со стороны Волги
Central part of Uglich as seen from the Volga

44 Ансамбль Воскресенского монасты- ▶
ря. 1674—1677. Общий вид
Architectural complex of the Voskresensky Monastery (of the Resurrection). Built between 1674 and 1677

45   Воскресенский монастырь. Галерея
звонницы
Bell-tower of the Cathedral of the Resurrection. Gallery

46 Крыльцо Воскресенского собора
Porch of the Cathedral of the Resurrection

47 Воскресенский собор. 1674—1677. ▶
Восточный фасад
Cathedral of the Resurrection. Built
between 1674 and 1677. Eastern façade

48 ◀ Парк у Воскресенского монастыря
Park by the Voskresensky Monastery

49 Вид на церковь Рождества Иоанна
Предтечи из галереи собора Воскре-
сенского монастыря
Church of the Nativity of St. John the
Baptist as seen from choirs of the
Cathedral of the Resurrection in the
Voskresensky Monastery

50 Церковь Рождества Иоанна Предте-
чи. 1689—1690. Южный фасад
Church of the Nativity of St. John the
Baptist. Built between 1689 and 1690.
Southern façade

51   Церковь Рождества Иоанна Предте-
чи. Южный фасад. Фрагмент
Church of the Nativity of St. John the
Baptist. Built between 1689 and 1690.
Portion of southern façade

52   Церковь Рождества Иоанна Предте-
чи. Декоративное убранство южно-
го фасада. Фрагмент
Church of the Nativity of St. John the
Baptist. Built between 1689 and 1690.
Carved decoration of southern façade

реставрации 1965—1970 годов ему возвращен изначальный облик и плавный рисунок кувшинообразных столбов уравновешивает высокую островерхую колокольню.

Предтеченская церковь на редкость нарядна. Радует глаз золотистый цвет окраски наружных стен, на фасадах всех основных объемов храма, как драгоценные камни, сверкают многоцветные изразцы. Широкий изразцовый пояс охватывает центральный куб, яркие вставки вспыхивают в декоративных арках парапета.

Церковь, как рассказывает сказание, построена на средства богатого местного купца Григория Чеполосова. В 1663 году трагически погиб младший сын купца Ваня. В память о мальчике Чеполосов и решил построить церковь. В северном приделе ее в 1960-е годы реставраторы обнаружили аркасолий (нишу), где был захоронен Ваня Чеполосов.

Памятник отовсюду смотрится удивительно красиво: и издалека, на фоне могучих белых стен Воскресенского монастыря, и вблизи, когда освещенные солнцем сверкающие главы и шатры напоминают сказочный дворец, и с левого берега Волги, когда золотистый цвет фасадов отражается в голубой глади воды.

Силуэты глав Богоявленского монастыря особенно хорошо видны при въезде в Углич по старой ростовской дороге. До середины XVII века девичий Богоявленский монастырь размещался на территории кремля. В 1661 году при перестройке крепости монастырь был переведен на ныне существующее место. Этим и объясняется позднее появление в нем каменных построек. Первым каменным монастырским сооружением стала Смоленская церковь (1700), позже строились Федоровская церковь (1818) и Богоявленский собор (1853).

В архитектуре Смоленской церкви сохранились черты, ставшие традиционными для угличского храмового зодчества. К ним относятся фронтон западного фасада с венчавшей его шатровой колокольней, разобранной в середине прошлого столетия, легкая открытая аркада, проходящая по западной стене, северный придел с трапезной палатой. Реставраторам посчастливилось раскрыть и восстановить прежнее убранство глав церкви — теперь, как и много лет назад, все они покрыты сверкающей зеленой черепицей.

Федоровская церковь, пожалуй, наиболее интересный угличский памятник XIX века. Необычен для Углича ее крестообразный план. Скорее всего, здесь сказалось влияние столичного зодчества второй половины XVIII века, когда в Москве и Петербурге стали строиться центрические церкви с планом в виде креста. Фасады Федоровской церкви украшают четырехколонные портики, характерные для архитектуры эпохи классицизма. С западной стороны вместо портика стояла многоярусная колокольня, не сохранившаяся до наших дней. Внутреннее пространство церкви перекрыто пятью куполами и украшено яркими росписями, напоминающими фрески Преображенского собора. Это не удивительно, так как Федоровскую церковь Богоявленского монастыря расписала артель художников под руководством Тимофея Медведева, автора росписей Спасо-Преображенского собора в Угличском кремле.

Последней каменной постройкой монастыря стал колоссальный Богоявленский собор, сооруженный в 1850-х годах. Архитектура его выдержана в распространенном тогда русско-византийском стиле, созданном архитектором К. А. Тоном. Отличительной особенностью этого стиля было механическое соединение форм древнерус-

53   Вид на ансамбль Богоявленского монастыря
View of the architectural complex of the Bogoyavlensky Monastery (of the Epiphany)

54   Смоленская церковь Богоявленского монастыря. 1700. Западный фасад. Справа — Федоровская церковь. 1818
Church of the Virgin of Smolensk in the Bogoyavlensky Monastery. 1700. Western façade. To the right, Church of St. Theodore Stratilates. 1818

55   Силуэт Смоленской церкви Богоявленского монастыря
Outlines of the Church of the Virgin of
Smolensk in the Bogoyavlensky Monastery

56, 57   Керамические главы Смоленской
церкви и наличник северного фасада
Tile decoration of the domes and window surrounds of the Church of the
Virgin of Smolensk. Northern façade

58 Вид на Смоленскую и Федоровскую церкви со стороны старой жилой застройки, сохранившейся на бывшей территории Богоявленского монастыря

Church of the Virgin of Smolensk and Church of St. Theodore Stratilates in the Bogoyavlensky Monastery seen from ancient buildings survived on former monastery's territory

ского зодчества с геометризмом, присущим уже новому времени. Богоявленский собор не представляет художественной ценности, архитектура его невыразительна, суха. Он имеет, скорее, градостроительное значение. Благодаря мощным объемам, а также удачному расположению на основной магистрали города, собор стал одной из доминант центра Углича.

Среди памятников церковной архитектуры XVIII века следует отметить Корсунскую церковь (1730), Флора и Лавра (1762), Казанскую церковь (1778). Изящная по пропорциям пятиглавая Корсунская церковь как бы замыкает перспективу въезда в город со стороны Ярославля. В ней многое сохранилось от памятников XVII века. Три уменьшающиеся кверху восьмерика колокольни с открытыми арками легки и воздушны. Однако детали фасадов — наличники с «разорванными» фронтончиками, ярусная колокольня — отражают новые веяния, возникшие под очевидным влиянием архитектуры Спасо-Преображенского собора.

Точную характеристику этих строений находим и в названной выше книге Б. М. Кирикова: «Силуэт Флоролавровской церкви, расположенной на высоком волжском берегу в центре города, перекликался с главным звеном кремлевского ансамбля. Ритм трехъярусных колоколен и пятиглавий подхватывала Корсунская церковь. С проти-

59 Старинный деревянный дом у Смоленской церкви. Фрагмент
Old timber-built house by the Church of the Virgin of Smolensk

воположной стороны систему вертикалей продолжила Казанская церковь. Завершение ее в виде двух убывающих восьмериков вторило венчанию колокольни кремля.
Так в XVIII столетии был создан масштабный пространственный ансамбль, основанный на рефрене высотных доминант волжской панорамы».

Жилая застройка большинства русских городов вплоть до XVIII века была преимущественно деревянной. Не составлял исключения и Углич. Здесь, как, пожалуй, ни в одном
другом старинном городе Центральной России, время пощадило несколько деревянных
домов, относящихся к первой трети XVIII века. Сохранившиеся дома дают достаточно
отчетливое представление о деревянной жилой застройке угличского посада. В первую
очередь это дома, некогда принадлежавшие Меховым, Казимировым и Опариным.
Располагались дома в глубине небольших усадеб, за оградой которых размещались
огород — непременная принадлежность усадебного комплекса и хозяйственные постройки — амбар, сараи, банька, колодец… И сейчас на тихих окраинных улочках
города можно увидеть такие небольшие усадебки с огородами, деревянными домами
с резными воротами, наличниками, карнизами, башенками.
Дом Меховых стоит на берегу Каменного ручья. В писцовых книгах Углича встреча-
ется фамилия купцов Меховых, торговавших овчиной. Возможно, один из них был
владельцем названного дома. Дома Меховых и Казимировых двухэтажные, где
подклетный этаж, в отличие от сельских домов, был жилым. Дома имеют трехчаст-
ную планировку: теплая изба — сени — холодная изба.
Неотъемлемой частью интерьера домов были большие изразцовые печи с лежанка-
ми. Печи имели не только утилитарное назначение, но и являлись украшением
помещения. Рисунок многоцветных изразцов, на которых изображены сказочные
сюжеты, выполнен с большим мастерством.

В 1730—1740 годах в Угличе активизируется каменное жилое строительство. Если
в течение всего XVII столетия не было построено ни одного каменного посадского
дома, то ко второй половине XVIII века их в Угличе насчитывалось уже несколько
десятков. Каменное строительство стоило дороже деревянного, требовало значительных средств, поэтому первыми жилыми зданиями стали особняки городской
знати: Калашниковых, Овсянниковых, Одинцовых…
В каменном жилом строительстве того времени наблюдаются те же особенности,
что и в церковном зодчестве начала XVIII века — использование традиций прошлого
и появление элементов архитектуры нового; в частности, господствующего тогда
стиля барокко. Наиболее характерен в этом отношении дом Калашниковых, на
фасадах которого наряду с барочными деталями — наличниками сложного рисунка,
рустованными пилястрами — использованы плоские многоцветные, так называемые
ценинные, изразцы, применявшиеся для украшения жилых домов довольно редко.
Встречаются подобные изразцы на фасадах Корсунской церкви, ими же облицовыва-
лись печи в начале XVIII века.
Наличники дома Овсянниковых с «разорванными» фронтонами напоминают наличники петербургских зданий, выстроенных по проектам В. В. Растрелли.
В архитектуре домов прослеживается явная связь с традициями жилого деревянного
строительства. Это выражено и в трехчастной планировке, характерной для деревянных изб, а также в том, что в состав помещений входит деревянный объем —

60 Квартал жилой застройки XVIII—
XIX вв. в восточной части города.
На заднем плане — Корсунская цер-
ковь. 1730

Residential district dated from the 18th
and 19th centuries in the eastern part
of Uglich. In the background, Church
of the Virgin of Khersonesus. 1730

61 Корсунская церковь. 1730. Южный фасад
Church of the Virgin of Khersonesus. 1730
Southern façade

крыльцо, боковуша, задняя изба. Так, каменная парадная половина дома Калашниковых является лишь частью здания, а примыкающие к ней сени и задняя изба — деревянные.

Среди каменных жилых построек второй половины XVIII века появляются здания внушительных для провинциального города размеров, тяготеющие к ансамблевой направленности. Пример подобного сооружения — бывшая усадьба Григорьевых, расположенная на левом берегу Волги, напротив кремля, где раньше существовал княжеский хозяйственный («кормовой») двор. Композиция ее напоминает подмосковные помещичьи усадьбы: центральное здание с боковыми флигелями, украшенное портиком. Позади барского дома был разбит парк с аллеями, небольшими прудами, статуями и беседками. В XIX веке хозяевами усадьбы были богатые местные помещики Супоневы, не раз перестраивавшие ее.

Городская усадьба второй половины XVIII века — бывшее подворье купцов Зиминых (Зимин двор) — расположена на старой торговой площади напротив Воскресенского монастыря. Дом Зиминых вплоть до начала XX века оставался самым большим жилым зданием Углича. Благодаря своим размерам Зимин двор и по сей день имеет определенное градостроительное значение, являясь одной из доминант архитектурного ансамбля старинной торговой площади города.

В Угличе сохранились редкие памятники промышленной архитектуры XVIII века. Это остатки небольших кожевенных заводиков, располагавшихся в древнем промысловом районе рядом с Селивановским ручьем. Основное сооружение такого комплекса — двухэтажное здание с каменным нижним этажом, где в двухстолпном помещении размещалась кожевня. Верхний деревянный этаж был жилым. Рядом с домом стояли вкопанные в землю большие чаны для обработки кожи. К зданию примыкали сводчатые каменные амбары.

XIX век оставил в Угличе наибольшее количество памятников гражданской архитектуры. Это в основном одно- и двухэтажные дома, выстроенные по так называемым «образцовым» проектам, которые разрабатывались в Москве и Петербурге, а затем рассылались по российским губерниям.

В Угличе сохранились целые кварталы жилой застройки XIX столетия — на улицах Ростовской, Ленина, Первомайской, Карла Маркса. Бывшая Ярославская улица (ныне — улица Карла Либкнехта) почти сплошь застроена домами, относящимися к первой половине прошлого века. Интересны бывшие дома Буториных, Ожеговых, Бычковых. Общим для этих зданий является использование в оформлении фасадов четырехколонных портиков, поднятых на уровень второго этажа.

Обязательным атрибутом городов прошлого была пожарная каланча. Сохранилась она и в Угличе, выстроенная в те же годы, что и здание дома градоначальника, где позже размещалась городская дума.

Образцом городской усадьбы начала XIX века может служить бывший дом Переславцевых — небольшой особняк с изящными колоннами ионического ордера, стоящий на тихой маленькой улочке, ведущей к Волге.

Обилие «образцовых» домов XIX века придало особую привлекательность облику города. Они стали своеобразным фоном и обрамлением выдающихся памятников архитектуры XVII—XVIII веков.

62 Бывший дом Меховых — памятник
деревянной архитектуры XVIII в.
Former Mekhovs` house, monument
of 18th-century wooden architecture

63   Резные ворота у бывшего дома Меховых. XIX в. Фрагмент
Carved gate of former Mekhovs'
house. 19th century

66 Бывший дом Калашниковых. Наличник и изразцы южного фасада
Former Kalashnikovs' house. Window surround and tiles on southern front

67 Бывший дом Калашниковых — памятник архитектуры XVIII в.
Former Kalashnikovs' house, monument of 18th-century architecture

68 Бывший дом Овсянниковых — памятник архитектуры 1-й половины XVIII в.
Former Ovsyannikovs' house, monument of the first half of the 18th-century architecture

69 Бывшая городская усадьба Григорьевых — памятник архитектуры
XVIII—XIX вв.
Former Grigoryevs' town mansion,
monument of Russian architecture of
the 18th–19th centuries

70 Бывший дом Переславцевых — памятник архитектуры 1-й четверти XIX в.

Former Pereslavtsevs' house, monument of Russian architecture of the first quarter of the 19th century

71 Портик бывшего дома Переславцевых
Portico of the former Pereslavtsevs'
house

72 Пожарная каланча — памятник архитектуры 1-й половины XIX в.

Fire-observation tower, monument of Russian architecture of the first half of the 19th century

73 Уголок старого города. Бывший ▶ дом Буториных — памятник архитектуры 1-й половины XIX в.

In the old town: former Butorin's house, monument of Russian architecture of the first half of the 19th century

74 Старинные дома на улице Ленина — памятники архитектуры 1-й половины XIX в.
Old houses in Lenin Street, monuments of Russian architecture of the first half of the 19th century

75 Дом на улице Ленина — памятник архитектуры 1-й половины XIX в.
House in Lenin Street, monument of Russian architecture of the first half of the 19th century

76 Резные деревянные кружева украша-
ют многие старинные дома Углича
Carved lacy woodwork decorate old
Uglich's houses

77 Бывший дом Завьяловых — памятник архитектуры 1-й четверти XX в.
Former Zavyalov's house, monument
of Russian architecture of the first
quarter of the 20th century

78 Вид на Углич и село Золоторучье
View of Uglich and of the village of
Zolotoruchye

Обзор угличского зодчества был бы неполон без описания памятников архитектуры, расположенных в живописных окрестностях города. Красота этих мест отражена уже в самих названиях — Дивная Гора, Красное, Заозерье, Золоторучье. Наиболее интересные памятники сохранились у ростовской, ярославской, московской дорог, вблизи лесных рек Улеймы, Воржехоти, по берегам Волги.

На высоком берегу восточной окраины Углича стоит небольшая церковь Ильи Пророка, построенная в 1753 году «тщанием капитана Сухово-Кобылина». К северу от нее протекает широкий ручей. За ручьем — большое старинное село Золоторучье. Небольшая церквушка, окруженная прозрачной березовой рощей, светлый ручей, впадающий в Волгу, древнее село с деревянными домами, украшенными резьбой, — все это придает восточной окраине Углича подлинное очарование типично русского пейзажа. Отсюда, с этого холма, открывается вид на бескрайние волжские просторы. Хорошо видна коса, разделяющая Волгу на два рукава: один уходит к мощным сооружениям ГЭС, другой — к шлюзу, из которого торжественно выплывают белоснежные многопалубные корабли. После стоянки у городского причала они, набирая скорость, поплывут дальше вниз по Волге к другим древнерусским городам — Рыбинску, Тутаеву, Ярославлю...

В 12 километрах южнее Углича, у ростовской дороги, стоит Николо-Улейминский монастырь — единственный почти полностью сохранившийся монастырский ансамбль на угличской земле. Расположен он среди густых лесов на невысоком холме, который огибают две речки — Улейма и Воржехоть.

Дата основания монастыря неизвестна, но угличские летописи утверждают, что существует он с начала XV века. Первоначально постройки его были деревянными, каменное же строительство началось здесь во второй половине XVI века. К началу XVII столетия выстроили Никольский собор и трапезную с Введенской церковью. Во время польско-литовской интервенции 1608—1611 годов монастырь подвергался штурму и был основательно разрушен. Собор и трапезную восстановили лишь в 1670-х годах. Уже к началу XVIII века все основные сооружения ансамбля были каменными. Позже монастырские здания подвергались значительным переделкам. Так, в XIX веке сооружается высокая громоздкая колокольня, собор обрастает приделами. К началу XX века постройки стали ветшать и разрушаться, ансамблю грозили гибель и забвение. Планомерные реставрационные и научно-исследовательские работы помогли восстановить и полнее раскрыть облик древних сооружений.

Ансамбль представляет собой традиционную композицию монастырских комплексов XVI—XVII веков. Прямоугольная в плане территория монастыря ограждена невысокой каменной стеной с восемью разными по форме башнями — круглыми, четырех- и восьмигранными.

В центре расположены собор, трапезная, многоярусная колокольня. В монастырь ведут двое ворот — западные, главные (Святые) ворота и восточные — Водяные, обращенные к реке Улейме, этим и объясняется их название.

Существующий Никольский собор построен в 1675 году. Он представляет собой распространенный в XVII веке тип пятиглавых четырехстолпных церквей. В соборе отсутствует подклет, а декорация фасадов напоминает фасады ростовских церквей. Особенно это касается наличников, которые своим сложным изящным рисунком

похожи на наличники надвратных церквей Воскресения в Ростовском Митрополичьем дворе и Сретения в Борисоглебском монастыре.

Наиболее интересный памятник ансамбля — трапезная. Своим обликом она напоминает трапезные других угличских монастырей — Воскресенского и Богоявленского, характерной особенностью которых было расположение часозвонницы на фронтоне западного фасада. Трапезная представляет собой целый комплекс, в который входит несколько объемов, что придает сооружению сходство с жилыми хоромами. Главный объем — двухэтажное здание самой трапезной палаты. В нем размещена одностолпная столовая палата, отдаточные, кухня (в первом этаже), кладовые.

С севера к палате примыкает придел, где расположены сени и жилые помещения. В придел ведет парадное крыльцо — главный вход в трапезную. С востока — одноглавая Введенская церковь, с запада фронтон фасада венчает шатровая часозвонница.

После переделок XIX века фасады трапезной представляли довольно однообразные плоскости, на которых зияли большие прямоугольные проемы, появившиеся в результате уничтожения древних арочных окон.

В процессе реставрации на южном и восточном фасадах были обнаружены следы двух наличников необычайно сложной формы, не встречающейся в ярославском зодчестве: традиционная «рамка», обрамлявшая оконный проем, заканчивалась завершением в виде кокошника с тремя длинными расходящимися пиками. Такая форма завершения получила название «звездчатой». Наличники подобного типа встречаются в московских памятниках второй половины XVII века (Троицкая церковь в Останкине, церковь Николы в Хамовниках). Очевидно, к строительству трапезной привлекались московские мастера.

В 10 километрах к юго-востоку от Углича на возвышенности у лесной речки Воржехоти стоит Троицкая церковь — центральное сооружение бывшей Дивногорской пустыни, небольшого монастыря, основанного в 1674 году. Тогда же началось строительство Троицкой церкви, закончившееся лишь через двадцать лет. Спустя столетие после основания монастырь, постепенно пришедший в запустение, был упразднен. Живописная композиция памятника состоит из пятиглавой церкви, трапезной, шатровой колокольни с широким сквозным ярусом звона на четверике и галереи. За галереей — открытая терраса, опирающаяся на две большие арки. Центральный куб охватывает аркатурный пояс, наличники окон барочной формы с завершением в виде «разорванного» фронтона аналогичны наличникам церкви Одигитрии в Ростовском кремле, построенной за несколько лет до окончания постройки дивногорского храма.

Пять его арок, опирающиеся на круглые столбики, почти точно повторяют аркады надвратной церкви Воскресения и одного из основных сооружений Ростовского кремля — церкви Спаса на Сенях. Затянувшееся строительство Троицкой церкви сказалось на ее облике. Наряду с элементами, характерными для 1670-х годов, на фасадах памятника встречаются и детали конца XVII века, характерные для «нарышкинского барокко», — круглые отверстия на шатре колокольни (слухи), граненые барабаны глав и восьмигранное окно северного фасада.

Свободный стройный силуэт памятника завершает холм. Невысокая каменная ограда с аркой ворот, извилистая дорога, проходящая через село, естественно и просто соединяются с красотой пейзажа, которую еще в древности оценил народ, назвав это место Дивной Горой.

80, 81 Ансамбль Николо-Улейминского монастыря. Юго-восточная башня, ограда (XVIII в.), в глубине — Никольский собор. XVII в.

Architectural complex of the Nikolo-Uleiminsky Monastery (of St. Nicholas-on-Uleima). South-eastern wall tower (18th century); in the background, Cathedral of St. Nicholas. 17th century

82 Затон тихой Улеймы
Backwater on the still Uleima

83　Церковь села Дивная Гора. XVII в. ▶
Church in the village of Divnaya Gora
(Miraculous Hill). 17th century

Историко-художественный музей

Угличский историко-художественный музей расположен в одном из самых красивых мест города — в старом парке на территории кремля, у берега Волги. Свободно расставленные у береговой кромки памятники архитектуры различных эпох создают живописную остросилуэтную группу. В этих зданиях хранятся художественные сокровища и исторические реликвии, собранные за почти столетнюю историю существования музея, основанного 3 (15) июня 1892 года.

Одним из первых экспонатов музея, как уже говорилось, стал возвращенный из Сибири угличский «ссыльный» набатный колокол, свидетель гибели царевича Дмитрия, и деревянные носилки, в которых в 1606 году останки царевича были перенесены из Углича в Москву.

В обширной коллекции предметов периода петровских реформ — меры объема сыпучих тел, выпущенные Берг-коллегией для упорядочения измерительной системы государства, гербы угличских ремесленных цехов, позволяющие судить о занятиях горожан в XVIII веке. Медные флажки- прапорцы, с отчеканенными на них рисунками предметов производства напоминают металлические или малярные вывески, широко распространенные в прошлом в прибалтийских и русских городах.

В интерьерах музейных зданий — церкви Дмитрия «на крови», Спасо-Преображенском соборе — сохранились фресковые росписи, золоченые резные иконостасы, древние иконы.

Коллекция древнерусской живописи включает произведения различных школ и направлений XV—XVIII веков. Несомненный интерес представляет деисус из церкви Леонтия — выдающееся создание, относящееся к 80-м годам XV столетия, периоду интенсивного каменного строительства в Угличском княжестве, развернутого Андреем Большим. Сохранилось семь больших икон, принадлежащих кисти различных мастеров. Стройная гармония изображения, мягкий просветленный колорит, изящная удлиненность фигур, ясность силуэта, гибкость и плавность линий сближают эти произведения с искусством Дионисия, одним из заказчиков которого был князь Андрей Васильевич.

Икона «Никола» начала XVI века — одна из лучших работ московской школы в коллекции музея. Лик святого — спокойный, одухотворенный, преисполненный мудрости — моделирован прозрачными светлыми охрами. Немногочисленные пробела как бы «вплавлены» в живопись. Коричневые тени и теплого тона высветления придают живописи особую мягкость. Неторопливая, плавная линия выделяет выпуклость лба, округлость щек, очерчивает нос, глаза, бороду, завершая пластику лица. Так же мягко и точно очерчен контур фигуры. Чуть намеченными складками невесомо ложится фелонь приглушенного вишневого цвета. Вместе с тем золотой фон, широкая киноварная филенка по краям доски делают изображение торжественным и представительным. Эти качества стали преобладать в московской живописи XVI столетия, заменив углубленную одухотворенность иконописных образов предшествующего периода.

Оплечный образ Николы, созданный в XVII веке, несмотря на небольшие размеры, является поистине монументальным произведением иконописи. Это достигается лаконичностью изобразительных средств, использованных неизвестным мастером. Тщательно смоделированное изображение лика, занимающего всю плоскость доски,

84 Спасо-Преображенский собор. 1713.
Портик южного входа
Cathedral of the Transfiguration. 1713.
Southern portico

построено на сближенных коричневатых тонах охры, оживленных легкими пробелами. От образа исходит состояние спокойного благородства и задумчивости.

Утонченной декоративностью отличается икона «Троица Ветхозаветная» конца XVII века. Звучная цветовая гамма малиново-красных и изумрудно-зеленых оттенков с обильными всплесками золота на одеждах ангелов и стоящей на столе утвари создает ощущение возвышенной трапезы, лишенной земной суетности.

В XVII столетии в Угличе появляются свои постоянные кадры иконописцев и вплоть до конца XIX века здесь работают несколько мастерских, обслуживающих город и округу. Несколько икон коллекции составляют характерную стилистическую группу. Им присуща асимметричность композиционного построения, подчеркнутая плоскостность в решении фигур, частое использование растительных мотивов, скупость и контрастность цветовых и тональных решений, серебряные нимбы, угловатый рисунок.

«Царевич Дмитрий» — один из самых запоминающихся образов святого в памятниках иконописи. Выразительная, решенная на контрастах света и тени живопись лика, напряженный контур фигуры и рук подчеркивают драматизм персонажа.

Характерный образец местной живописи — икона «Троица Новозаветная» (XVII в.). Неканоничность композиции, нарядная декоративность, обильный растительный орнамент в виде побегов и мальв, отточенная графичность и резкие высветления делают это произведение исключительно своеобразным.

Угличский музей располагает богатой коллекцией деревянной скульптуры. Старейший памятник, относящийся к рубежу XVI—XVII веков, посвящен Параскеве Пятнице, почитаемой в народе святой, покровительнице семьи и торговли. Это одно из лучших произведений деревянной пластики в музеях Верхней Волги. Мягкие, плавные, словно перетекающие формы, чистота силуэта создают состояние тонкого поэтического настроя. Распахнутые крылья плаща, воздетые руки, нерасчлененный объем фигуры, локальный цвет росписи придают образу черты монументальности. Объемная скульптура — явление в церковном искусстве неканоничное, неоднократно запрещавшееся официальной церковью. В ней нередко отражались народные представления о святых. Неподвижны и статичны изображения «Предстоящих и распятия» (XVII в.). Их лица отмечены восточными чертами. По преданию, эта группа была выполнена крещеным татарином — монахом Михайло-Архангельского монастыря, затерянного когда-то в глухих лесах угличской округи.

Неотъемлемой частью убранства храмов служило лицевое шитье, серебряная утварь, книги в богатых окладах. В XVII столетии в городе существовали мастерские лицевого шитья в Богоявленском монастыре, у боярыни Марфы Полчаниновой работало несколько фамилий серебреников. Попадали в угличские церкви и монастыри вклады ростовских митрополитов, московской знати, выполненные столичными мастерами. Значительный художественный и исторический интерес представляет набор предметов (крест, потир, дискос) — вклад князя Ф. И. Мстиславского в Алексеевский монастырь. Выверенная форма, сдержанная пластика и неразрушающий естественную фактуру мягко светящейся поверхности серебра изящный узор гравировки говорят о незаурядном мастерстве и вкусе умельца, создавшего эти произведения. Обилие украшений и разнообразие техники исполнения отличают изделия XVIII века. Обрамленные сканью серебряные и эмалевые образки, снизки речного жемчуга полностью закрывают бархатную основу митры архимандрита одного из угличских монастырей. Поступившее в музей из сельской церкви большое евангелие обложено массивным серебряным окладом, выполненным неизвестным московским мастером в 1790 году. На лицевой стороне оклада укреплены редкой величины финифтяные образки с изображением евангелистов и сцены «Воскресения».

Покров «Паисий Угличский» выделяется значительными размерами и монументальностью художественной трактовки образа. Изображение святого строго канонично. Шитье выполнено преимущественно разноцветными шелковыми нитями, фон расшит травным орнаментом.

В убранстве покрова «Иоанн Милостивый» преобладает шитье серебром, обильно использован круглый северный жемчуг и жемчужные плашки. Растительные побеги из серебряных нитей положены на малиновый фон вокруг головы святого.

Коллекция керамики музея включает архитектурные и печные изразцы XV—XIX веков, широко представляющие различные периоды развития русского изразцового дела. В первую очередь это плиты из декора дворца удельных князей, изразцы, введенные в отделку Воскресенского монастыря.

С концом XVII века связан период расцвета ценинного дела на Верхней Волге. Памятники этого периода особенно щедро изукрашены изразцами. Мотивы орнамента «солнечных плиток» — вазоны со стеблями, шестилепестковые и спиралевидные вихревые розетки, птицы, всадники, изразцовые валики из зубчиков и лепестков.

В расписных сюжетных изразцах XVIII века оживают представления народа о фантастическом и реальном мире. Здесь и грифон — «зверь лютый», и сказочная птица Сирин, заяц — символ чуткости и изобилия, путники и всадники, играющий на флейте античный бог, китайцы и турки. Рисунки часто сопровождаются надписями нравоучительного или пояснительного характера: «Всегда веселюся», «Пиянство вредит», «Дух его слаток», «Иду до места своего».

Сюжетная роспись помещается в рамку в виде кулис из листьев или балясин, как бы обрамляющих вход крыльца, на площадке которого разыгрывается действо.

В XIX веке многоцветная роспись уступает место одноцветному рисунку кобальтом по белому фону, сухому и упрощенному.

На протяжении многих столетий дерево, керамика, железо оставались доступными и практичными материалами. Из них строилось жилье, изготовлялись предметы повседневного быта.

Обстановка посадского жилья включала деревянную встроенную мебель, посуду, прялки, кованые дверные навесы, скобы, светцы, керамическую утварь.

Чернолощеные керамические квасники и кувшины угличской коллекции отличает сложная пластика, высокое качество материала и лощения; деревянные ковши, братины, ендовы — четкость силуэта, изысканная простота и изящество формы.

В собрании живописи XVIII—XIX веков — несколько парсун — ранней формы портрета, во многом подчиненного иконописной стилистике. Так, в изображении царевича Дмитрия использованы традиционные формы иконной композиции: развернутое повествование эпизодов гибели, размещенных вокруг фигуры царевича, широкие поля, обрамляющие средник, поясняющие подписи под отдельными сценами и привычная для иконы техника — левкас, темпера. Но здесь уже намечена объемная моделировка лица, второй план, развивающий композицию в глубину.

Парсуна Ивана Грозного выполнена в соответствии с устойчивой традицией XVII века. Здесь многое от иконы. Статично поставленное погрудное изображение вкомпоновано в овал, по которому написан титул самодержца, и построено на больших плоскостях декоративно звучащего локального цвета. Проработка в глубину отсутствует, лицо моделировано, плоскостно и условно. Художник стремился передать лишь внешние приметы царя — «грозность» и властность, отсюда — резкие черты лица, сдвинутые брови, нависшие веки. Портрет, обладающий яркими чертами художественного примитива, отдаленно повторяет идеализированные типы миниатюр «Титулярника» царя Алексея Михайловича 70-х годов XVII века.

Жанр купеческого портрета, широко представленный в музее, зародился в конце XVIII столетия. Портретная живопись вышла из дворянских имений и распространилась в демократической среде горожан. Это вызвало к жизни деятельность многочисленных художников в провинции. В их творчестве достижения столичной портретной живописи переплетались с художественным примитивом, наивной прямотой и непосредственностью парсунного письма.

Долгое время провинциальный портрет рассматривался лишь в историко-бытовом и этнографическом плане, однако после проведенной научной реставрации и нескольких выставок портретов из собраний верхневолжских музеев была признана их большая художественная значимость, и они заняли долженствующее место в истории отечественной живописи.

Провинциальные мастера, выполняя волю заказчиков, стремились охарактеризовать портретируемых в духе сословного положительного идеала. Фигуры изображаемых неизменно выглядят степенными и представительными, они укрупнены, парадны, ровно освещены лица, тщательно прописаны одежда, украшения и регалии, цветовое решение декоративно. На полотнах угличских живописцев словно оживают персонажи пьес А. Н. Островского.

Портреты посадских людей Кочурихиных — наиболее ранние в собрании. Они написаны в 1785 году художником Сергеем Флегонтовым. Живописец представляет старообрядца Федора Кочурихина с письмом в руках, в котором изложены его взгляды на вопросы веры. Фекла Кочурихина позирует в парчовой душегрее с вышитой меховой муфтой. Жемчужная снизка и серьги-банты усиливают впечатление богатства и торжественности.

Один из крупнейших художников ярославского края первой половины XIX века Иван Васильевич Тарханов подписывался на своих работах как «угличский живописец и коллежский регистратор». В музее хранится более двух десятков его полотен.

Среди них особенно интересен редкий образец домашней портретной живописи — купеческой семьи Суриных — семь портретов, написанных в течение шестнадцати лет. Первые четыре выполнены в 1829 году.

Сурины-старшие явно привержены патриархальным нормам быта, о чем красноречиво свидетельствует их облик: темный сюртук Матвея Сергеевича Сурина сшит по образцу кафтана, душегрея и белая нарядная кофта его жены Агриппины Андреевны, кажется, принадлежат минувшему веку.

Сурины-младшие ориентировались на столичную моду. Молодая женщина позирует в нарядном платье и без традиционной головной повязки. В обоих женских портретах художник тщательно прорабатывает многочисленные украшения: жемчужные снизки и «решетчатые» цепочки, серьги, заколки, перстни, узоры тканей. Это не предмет любования, но прежде всего зримое подтверждение благополучия дома.

Через четырнадцать лет, осенью 1843 года, Тарханов написал портреты М. С. и П. М. Суриных в мундирах городового магистрата, ношение которых было разрешено Суриным «за беспорочную выслугу». Большие размеры холстов, статично поставленные фигуры, скрупулезно выписанные регалии придают портретам парадность и «сановитость».

К лучшим произведениям художника принадлежит одна из последних его работ — портрет второй жены П. М. Сурина, Надежды Андреевны, в подвенечном наряде. В этой работе нашел колоритное воплощение сословный идеал женской красоты: образ дородной купеческой дочери, перекликающийся с героиней федотовской картины «Сватовство майора» и кустодиевскими волжскими купчихами.

От пышнотелой, круглолицей женщины исходит ощущение свежести и телесного здоровья. Легкое платье оставляет открытыми покатые плечи и полные руки. В соответствии с корпоративными представлениями наряд дополняют обильные аксессуары: пальцы унизаны кольцами, на шее массивное колье, в руках расшитая сумочка. Зритель как бы втянут в рассматривание украшений, их фактурная материальность подчеркнута корпусно наложенными белилами. Однако, воспевая сословный идеал женской красоты, художник не изменил жизненной правде. Он хорошо выразил неподвижную застылость и духовную ограниченность модели.

Реалистическая живопись XX века представлена работами заслуженного деятеля искусств, профессора живописи Петра Дмитриевича Бучкина.

В Угличе прошли детские годы художника, здесь он бывал в мастерских местных иконописцев. Получив художественное образование в училище технического рисования барона Штиглица, а затем в Академии художеств, П. Д. Бучкин с первых шагов в искусстве проявил себя талантливым рисовальщиком, мастером акварели. Занимаясь преподавательской деятельностью в Ленинграде, художник не порывает связи с родными местами. Он создает многочисленные пейзажи старого города, отличающиеся документальной точностью и мягким лирическим настроением.

Природа и история города, силуэты старых церквей, старинные улицы дали художнику материал для создания полотен «Воскресенский монастырь», «Старый Углич со стороны Волги» и удивительно поэтичных небольших этюдов: «Церковь Флора и Лавра», «Зимний Углич», «Пожарная каланча». По технике исполнения, легкости и прозрачности колорита эти работы напоминают акварели.

Серия пейзажей 1924—1950 годов имеет большую историческую и документальную ценность. Строительство промышленных предприятий, Угличской ГЭС изменило панораму города. Многие памятники архитектуры не сохранились, и работы художника осязаемо и точно воссоздают их облик.

Живописный образ Углича, созданный П. Д. Бучкиным, неотделим от галереи портретов именитых горожан XIX века, древнерусской живописи и исторических реликвий. Как главы одной книги, взаимно дополняя и продолжая друг друга, они дают нам многоплановую картину истории и культуры древнего волжского города.

87 Икона «Никола». Начало XVI в.
Icon showing St. Nicholas. Early 16th century

88 Икона «Никола». XVII в.
Icon showing St. Nicholas. 17th century

89 Икона «Чудо архангела Михаила
в Хонех». XVII в.
Icon showing the Miracle of the Archangel Michael in Konya. 17th century

90 Икона «Иоанн Предтеча — ангел
пустыни» с житием. XVII—XVIII вв.
Icon showing St. John the Baptist as an
Angel of the Wilderness, with Scenes
from His Life. 17th–18th centuries

91 Икона «Царевич Дмитрий». XVII в.
Icon showing Tsarevich Dmitry.
17th century

92 Икона «Избранные (угличские) свя-
    тые». Начало XVIII в.
    Icon showing the Selected (Uglich) Saints
    bearing in their hands a model of the
    Uglich Citadel. Early 18th century

95 Пелена «Иоанн Милостивый». XVII в.
Embroidered pall showing St. John the
Gracious. 17th century

96   Покров «Паисий Угличский». XVII в.
Embroidered pall showing St. Paisius
of Uglich. 17th century

144

Иконы и кресты наперсные, ковшик.
XIV—XVII вв.
Small icons, pectoral crosses and
scoop. 14th to 17th centuries

98 Дискос, потир, крест напрестольный. XVII в.
Discos, chalice and altar cross.
17th century

99 Митра и крест благословенный. XVIII в.
Mitre and cross. 18th century

Оклад Евангелия. 1790
Gospel's cover. 1790

Изразцы печные с сюжетной росписью. XVIII в.
Stove tiles with painted decoration. 18th century

110 Изразец рельефный из декора церкви Леонтия. XVIII в.
Glazed tile with raised floral decoration. 18th century. From the Church of St. Leontius in Uglich

111   Изразцы печные декоративные
с росписью кобальтом. XIX в.
Ornamental stove tiles painted in cobalt blue. 19th century

112 Деревянная посуда — туески, кружка, ковш. XVIII—XIX вв.
Woodware: covered cylindrical vessels,
mug and scoop. 18th–19th centuries

113   Чернолощеная керамическая посуда —
        кумганы, квасник. XVIII в.
        Black-polished earthenware: *kumghan*
        vessels, *kvass* holder. 18th century

114   Прялки. XVIII—XIX вв. ▶
        Carved distaffs.
        18th–19th centuries

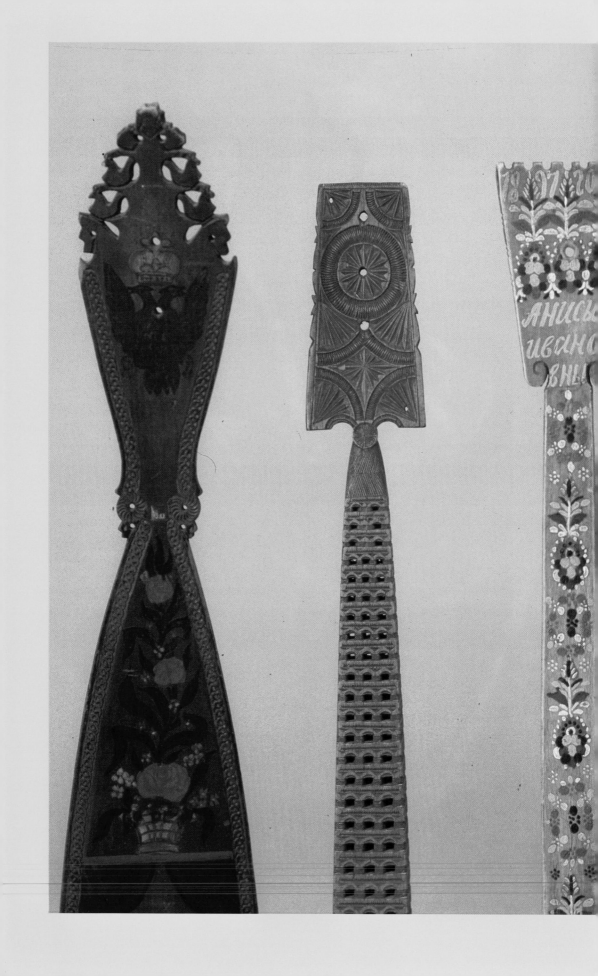

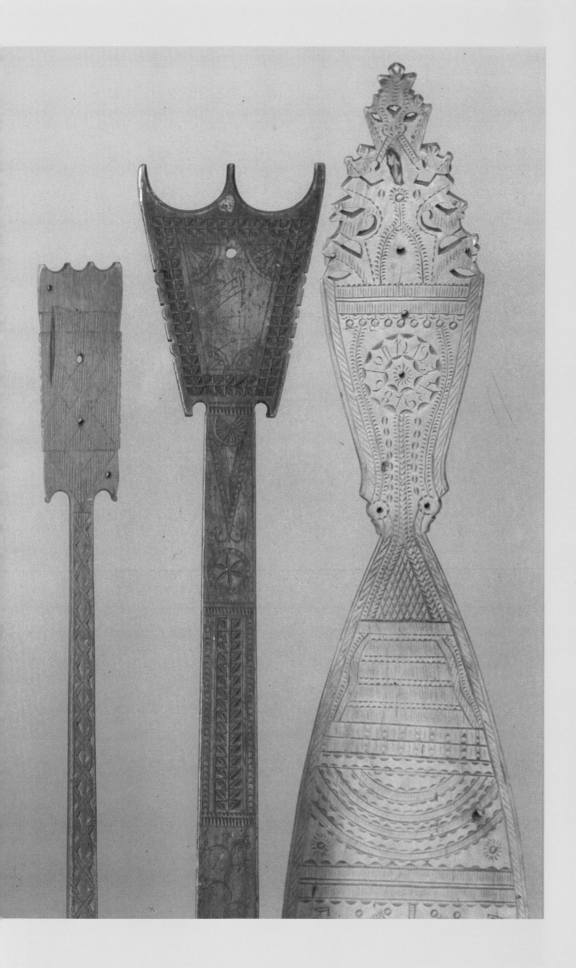

115 Неизвестный художник
Портрет Февуры Алексеевны Кала-
шниковой. 1-я половина XIX в.
Anonymous
Portrait of Fevura Kalashnikova.
First half of the 19th century

116 Неизвестный художник
Портрет неизвестного (Калашнико-
ва?)
Anonymous
Portrait of a Man (Uglich
Citizen Kalashnikov?)

117 И. В. Тарханов
Портрет неизвестной. 1837
Ivan Tarkhanov
Portrait of a Woman. 1837

118 И. В. Тарханов
Портрет неизвестного. Ок. 1837
Ivan Tarkhanov
Portrait of a Man. C. 1837

119 И. В. Тарханов
Портрет Матвея Сергеевича Сури-
на. 1829
Ivan Tarkhanov
Portrait of Uglich Merchant Matvei
Surin. 1829

120   И. В. Тарханов
Портрет Агриппины Андреевны Су-
риной. 1829
Ivan Tarkhanov
Portrait of Agrippina Surina. 1829

121 И. В. Тарханов
Портрет Павла Матвеевича Сурина.
1829
Ivan Tarkhanov
Portrait of Pavel Surin. 1829

122 И. В. Тарханов
Портрет Евдокии Дмитриевны Су-
риной. 1829
Ivan Tarkhanov
Portrait of Eudokia Surina. 1829

123 И. В. Тарханов
Портрет Надежды Андреевны Су-
риной. 1845
Ivan Tarkhanov
Portrait of Nadezhda Surina. 1845

124 И. В. Тарханов
Портрет Павла Матвеевича Сурина.
1843
Ivan Tarkhanov
Portrait of Uglich Merchant Pavel Sur-
in. 1843

125 Неизвестный художник
Портрет Ивана Ягодина с дочерью.
1850-е гг.
Anonymous
Portrait of Uglich Citizen Ivan Ya-
godin with Daughter. 1850s

126 Неизвестный художник
Портрет Ягодиной с сыном. 1850-е гг.
Anonymous
Portrait Ivan Yagodin's Wife with Son.
1850s

127 П. Д. Бучкин
Углич. Покровский монастырь. 1930
Pyotr Buchkin
Uglich. View of the Pokrovsky Monastery. 1930

128 П. Д. Бучкин
Старый Углич. Берег Волги. 1924
Pyotr Buchkin
Old Uglich. Bank of the Volga. 1924

129 П. Д. Бучкин
Церковь Дивная при закате. 1924
Pyotr Buchkin
'Miraculous' Church at Sunset. 1924

130   П. Д. Бучкин
       Кремль. 1948
       Pyotr Buchkin
       The Uglich Citadel. 1948

131   П. Д. Бучкин
       Углич. У старого моста. 1952
       Pyotr Buchkin
       Uglich. By an Old Bridge. 1952

132 П. Д. Бучкин
Углич. Первый снег. 1952
Pyotr Buchkin
Uglich. The First Snow. 1952

Summary

The history of this ancient Russian town on the Volga can be traced back to the times of Kievan Rus. Uglich began as a wooden fortress which, as a local chronicle has it, was built in 937 by men who were sent from Kiev by Princess Olga. It stood on the high bank at a place where the river forms a large curve. For a long time it was in the domain of Rostov Principality, and in 1218 was even made the seat of the princely court. In the 14th century Uglich was annexed to Moscow Principality.

The construction of stone buildings in the local Kremlin (citadel) started in the 15th century. The first stone edifices —a large cathedral and a wing of the prince's palace with the throne-room—were erected by the appanaged prince Andrei Bolshoi.

The proximity of Uglich to Moscow often made it an arena of political struggle. On May 15, 1591, it became the scene of the tragic death of its last appanaged prince Dmitry who was the younger son of Tsar Ivan IV the Terrible. The death of the Tsarevich was followed by riots, and for a certain period the mutinous town was in disgrace. The old buildings that can still be seen Uglich will remind us of different historical epochs. A rare monument of 15th century secular architecture—The Appanaged Princes' Palace—is what has been left of the former palace ensemble. It is the only building of this kind remaining in Yaroslavl Region.

The Church of St. Demetrius-on-Blood (17th century) marks the place where the Tsarevich met his death, its purple-coloured fronts serving as the reminder of the tragic events of the late 16th century.

The Cathedral of the Transfiguration was added to the group of the Kremlin buildings in 1713. The new church was built on the site of the old one, which had fallen into decay. Its architecture involved the use of some constructional devices theretofore unknown in Uglich. Thus the fourteen-metre span of the central body was covered with a high vault not supported by intermediate pillars. In the early 19th century the interiors were decorated with painting, the work of a team of serf artists headed by T. Medvedev. The highest construction in the Kremlin is a multitiered bell tower (1730) standing by the side of the cathedral. The City *Duma* was the last building to be erected on the territory of the Kremlin (1815). It exemplifies the Classicist style predominant at the period. In 1917 the establishment of Soviet administration of Uglich was proclaimed here.

At present the buildings situated in the kremlin house the Historical and Art Museum.

A greater part of the old architectural monuments are located outside the Kremlin. On the territory of the town the architectural heritage of the 17th century is represented by the ensembles of the Alexeyevsky, Voskresensky and Bogoyavlensky Monasteries.

The oldest of the monasteries—Alexeyevsky (of St. Alexius)—was founded in 1371. From after one can see the steeples of its church and refectory called "Miraculous" for its beauty. The white spired buildings rising on the hill resemble obelisks. This is not purely accidental as the Church of the Assumption was dedicated to the memory of the Uglich warriors who had fallen in the war of 1608–12.

The most imposing of the Uglich ensembles is formed by the Voskresensky (Resurrection) Monastery situated in the western part of the town. It has a rather unusual lay-out, with all its buildings—the cathedral, the four-tiered wall-like belfry and the refectory with the Church of the Virgin Hodegetria standing in a compact group which is seen as a complex whole. The ornate decor of the façades includes green tiling with a glaze finish, a kind of external ornament that had not been used in Uglich before. During the 19th century the buildings were in a state of disrepair. In the early 1900s the Russian painter Igor Grabar wrote the following: "The condition in which the monastery is now defies all description... Probably a time is not far off when a pile of bricks will be the sole reminder that an architectural monument of the 17th century had once stood here". It was only in the Soviet time that with the help of the most up-to-date methods the dying ensemble could be given a new lease of life.

A contrast to the monumental heaviness of the Voskresensky Monastery is the graceful Church of the Nativity of St. John the Baptist (1690) standing nearby, on the Volga bank. The harmony of proportion, the elegance of the decorative scheme with a lavish use of polychromic tiling make it one of the finest architectural monuments in the town.

Few of the old Russian towns have preserved suburban wooden houses of the 18th century. Uglich can boast several such examples (the houses of Mekhov, Oparin, Kazimirov).

The first boom in stone construction is still reminded of by the houses of Kalashnikov, Ovsyannikov, Odintsov (1730s–1740s). Of special interest is the Kalashnikov house with façades decorated in coloured tiling, a rare feature in the civil architecture of the period. Examples of manorial architecture in town are provided by the houses of Pereslavtsev (19th century) and Zimin (late 18th century).

In 1784 Uglich received its first master plan, and this further stimulated the construction of stone houses.

Besides the monuments located on the territory of the town there are some architectural ensembles in its environs, the Nikolo-Uleiminsky and the Divnogorsky Monasteries (17th century) being the most notable.

An out-of-the-way seat of district administration in the past, Uglich has now become an important industrial centre of the Yaroslavl Region. On the riverside it overlooks a gigantic dam of a hydro-electric power station, a shipping lock and a storage lake. The old town on the Volga is acquiring new dimensions and beauty.

Перечень иллюстраций

Указанные размеры даны в см.

Посад и окрестности города

81. Ограда Николо-Улейминского монастыря. XVIII в. Вид с востока

82. Затон тихой Улеймы

83. Церковь села Дивная Гора. XVII в.

Историко-художественный музей

84. Спасо-Преображенский собор. Портик южного входа

85. Икона «Архангел Михаил». 1480-е гг.
Дерево, левкас, темпера. 172 × 75
Происходит из Деисусного чина церкви Леонтия. Предположительно первоначально находилась в Покровском соборе Покровского монастыря

86. Икона «Архангел Гавриил». 1480-е гг.
Дерево, левкас, темпера. 179 × 74
Происходит из Деисусного чина церкви Леонтия. Предположительно первоначально находилась в Покровском соборе Покровского монастыря

87. Икона «Никола». Начало XVI в.
Из церкви Рождества Иоанна Предтечи
Дерево, левкас, темпера. 112 × 61

88. Икона «Никола». XVII в.
Дерево, левкас, темпера. 86 × 67

89. Икона «Чудо архангела Михаила в Хонех». XVII в.
Из церкви Михаила Архангела «что в бору»
Дерево, левкас, темпера. 124 × 99

90. Икона «Иоанн Предтеча — ангел пустыни» с житием. XVII—XVIII вв.
Из церкви Рождества Иоанна Предтечи
Дерево, левкас, темпера. 139 × 101

91. Икона «Царевич Дмитрий». XVII в.
Дерево, левкас, темпера. 126 × 55

92. Икона «Избранные (углические) святые». Начало XVIII в.
Дерево, левкас, темпера. 105 × 93

93. Икона «Троица Новозаветная». XVII в.
Дерево, левкас, темпера. 106 × 86

94. Икона «Троица Ветхозаветная». XVII—XVIII вв.
Из иконостаса Спасо-Преображенского собора
Дерево, левкас, темпера. 135 × 102

95. Пелена «Иоанн Милостивый». XVII в.
Лицевое шитье
Ткань, серебряное шитье, жемчуг. 48 × 40

96. Покров «Паисий Угличский». XVII в.
Лицевое шитье

Ткань, шерстяные, шелковые нити, золотное и серебряное шитье. 224 × 129

97. Иконы и кресты наперсные, ковшик. XIV—XVII вв.
Кость, кипарис, серебро, резьба, скань, чеканка

98. Дискос, потир, крест напрестольный. XVII в.
Серебро, позолота, речной жемчуг, гравировка, чеканка
Вклад князя Федора Ивановича Мстиславского в Алексеевский монастырь в 1623 г.

99. Митра и крест благословенный. XVIII в.
Митра — бархат, серебро, жемчуг, стекло, скань, эмаль
Крест — серебро, жемчуг, драгоценные камни, стекло, чеканка, гравировка
Вклад Ф. К. Гнездникова в Ильинскую церковь в 1703 г.

100. Оклад Евангелия. 1790
Из церкви Сергия Радонежского под Угличем
Серебро, эмаль, чеканка, канфарение

101. Параскева Пятница. XVII в.
Дерево, левкас, темпера, тонирование, резьба. Высота 84

102. Распятие с предстоящими. XVII в.
Из Михайло-Архангельского монастыря
Дерево, левкас, темпера, тонирование, резьба. Высота креста 134

103. Христос в темнице. XIX в.
Дерево, левкас, темпера, резьба, тонирование. Высота 102

104. Неизвестный художник
Иван Грозный. Парсуна. XVIII в.
Холст (дублирован), масло. 86 × 70

105. Терракотовая плита и балясина. 1480-е гг.
Из декора дворца удельных князей

106. Изразец рельефный полихромный. XVII в.
Из декора церкви Рождества Иоанна Предтечи

107. Изразец рельефный полихромный. XVII в.
Из декора церкви Рождества Иоанна Предтечи

108. Изразцы печные с сюжетной росписью. XVIII в.
Из дома Опариных

109. Изразцы печные с сюжетной росписью. XVIII в.
Из деревни Горки Большесельского района Ярославской области

110. Изразец рельефный муравленый.
XVIII в.
Из декора церкви Леонтия

111. Изразцы печные декоративные с росписью кобальтом. XIX в.

112. Деревянная посуда — туески, кружка, ковш. XVIII—XIX вв.

113. Чернолощеная керамическая посуда — кумганы, квасник. XVIII в.
Глина, полива, лощение, лепка

114. Прялки. XVIII—XIX вв.
Дерево, резьба, роспись

115. Неизвестный художник
Портрет Февуры Алексеевны Калашниковой. 1-я половина XIX в.
Холст (дублирован), масло. 61 × 48,5
Поступил в музей в 1892 г.
Дар Капелькина
Реставрирован в 1979—1980 гг., реставратор В. Егоров
Февура Алексеевна Калашникова — угличская мещанка

116. Неизвестный художник
Портрет неизвестного (Калашникова?)
Холст (дублирован), масло. 61 × 48,5
Реставрирован в 1979—1980 гг., реставратор В. Егоров
Калашников — угличский мещанин
Братья Калашниковы (Пармен Афанасьевич и Василий Афанасьевич) в 1820—1830-х гг. торговали хлебом, числились в списках ремесленников

117. И. В. Тарханов. 1780—1848
Портрет неизвестной. 1837
Холст (дублирован), масло. 116 × 84
На обороте дублировочного холста надпись: «Писалъ угличской живописецъ коллежской регистраторъ Иванъ Тархановъ 1837 года августа 27 дня»
Реставрирован в 1978—1979 гг., реставратор В. Егоров

118. И. В. Тарханов
Портрет неизвестного. Ок. 1837
Холст (дублирован), масло. 116 × 84
Реставрирован в 1978—1979 гг., реставратор В. Кузьмин

119. И. В. Тарханов
Портрет Матвея Сергеевича Сурина. 1829
Холст (дублирован), масло. 80 × 64,5
На обороте дублировочного холста надписи: «Портретъ угличского купца Матвея Сергеевича Сурина. Писанъ 1829. года ноября 7-го дня. отъ рождения Его на 56 году»; «Писалъ угличской живописецъ коллежской регистраторъ Иванъ Васильевъ Тархановъ». Приобретен в 1930 г. у В. Н. Серебренникова в Угличе
Реставрирован в 1979—1980 гг., реставратор М. Фурдик
Матвей Сергеевич Сурин — угличский купец, сын посадского Сергея Гавриловича Сурина. Занимал различные общественные должности

120. И. В. Тарханов
Портрет Агриппины Андреевны Суриной. 1829
Холст (дублирован), масло. 79 × 64
На обороте дублировочного холста надписи: «Портретъ угличской купеческой жены Агриппины Андреевны Суриной Писанъ 1829-м году ноября 10-го дня. отъ рождения Ея на 55-м году»; «писалъ угличской живописецъ коллежской регистраторъ Иванъ Тархановъ».
Приобретен в 1930 г. у В. Н. Серебренникова в Угличе
Реставрирован в 1979—1980 гг., реставратор М. Фурдик
Агриппина Андреевна Сурина — жена угличского купца Матвея Сергеевича Сурина

121. И. В. Тарханов
Портрет Павла Матвеевича Сурина. 1829
Холст (дублирован), масло. 79,5 × 64
На обороте дублировочного холста надписи: «Портретъ угличскаго Купецкого сына Павла Матвеевича Сурина Писанъ 1829-го года ноября 13 дня отъ рождения на 26(?) году»; «Писалъ угличской живописецъ коллежской регистраторъ Иванъ Тархановъ»
Реставрирован в 1979—1980 гг., реставратор Н. Маренникова
Павел Матвеевич Сурин — угличский купец, сын Матвея Сергеевича Сурина

122. И. В. Тарханов
Портрет Евдокии Дмитриевны Суриной. 1829
Холст (дублирован), масло. 79 × 64,5
На обороте дублировочного холста надписи: «Портретъ угличскаго Купецкаго сына жены Авдотьи Дмитровны Суриной. Писан 1829 года ноября 15 дня отъ рождения ея на 22 году»; «Писалъ угличской живописецъ коллежский регистраторъ Иванъ Тархановъ»
Реставрирован в 1979—1980 гг., реставратор Н. Маренникова
Евдокия Дмитриевна Сурина — первая жена угличского купца Павла Матвеевича Сурина

List of Illustrations

From the History of Uglich

The Uglich Citadel

Posad and Environs of the Town

58. Church of the Virgin of Smolensk and Church of St. Theodore Stratilates in the Bogoyavlensky Monastery seen from ancient buildings survived on former monastery's territory

59. Old timber-built house by the Church of the Virgin of Smolensk

60. Residential district dated from the 18th and 19th centuries in the eastern part of Uglich. In the background, Church of the Virgin of Khersonesus. 1730

61. Church of the Virgin of Khersonesus. 1730 Southern façade

62. Former Mekhovs' house, monument of 18th-century wooden architecture

63. Carved gate of former Mekhovs' house. 19th century

64. Timberwork of former Mekhovs' house. 18th century

65. Tile stove from former Mekhovs' house. 18th century

66. Former Kalashnikovs' house. Window surround and tiles on southern front

67. Former Kalashnikovs' house, monument of 18th-century architecture

68. Former Ovsyannikovs' house, monument of 18th-century architecture

69. Former Grigoryevs' town mansion, monument of Russian architecture of the 18th–19th centuries

70. Former Pereslavtsevs' house, monument of Russian architecture of the first quarter of the 19th century

71. Portico of the former Pereslavtsevs' house

72. Fire-observation tower, monument of Russian architecture of the first half of the 19th century

73. In the old town: former Butorins' house, monument of Russian architecture of the first half of the 19th century

74. Old houses in Lenin Street, monuments of Russian architecture of the first half of the 19th century

75. House in Lenin Street, monument of Russian architecture of the first half of the 19th century

76. Carved lacy woodwork decorate old Uglich's houses

77. Former Zavyalov's house, monument of Russian architecture of the first quarter of the 20th century

78. View of Uglich and of the village of Zolotoruchye

79. Uglich suburbs. Banks of the Uleima

80. Architectural complex of the Nikolo-Uleiminsky Monastery (of St. Nicholas-on-Uleima). South-eastern wall tower; in the background, Cathedral of St. Nicholas. 17th century

81. Walls of the Nikolo-Uleiminsky Monastery. Built in the 18th century. Eastern view

82. Backwater of the still Uleima

83. Church in the village of Divnaya Gora (Miraculous Hill). 17th century

Uglich Historical and Art Museum

84. Cathedral of the Transfiguration. 1713. Southern portico

85. Icon from the Deesis Range, showing the Archangel Michael. 1480s
Tempera on panel surfaced with gesso. 172×75 cm
Acquired from the Church of St. Leontius in Uglich; originally in the Cathedral of the Intercession of the Virgin in the Pokrovsky Monastery

86. Icon from the Deesis Range, showing the Archangel Gabriel. 1480s
Tempera on panel surfaced with gesso. 179×74 cm
Acquired from the Church of St. Leontius in Uglich; originally in the Cathedral of the Intercession of the Virgin in the Pokrovsky Monastery

87. Icon showing St. Nicholas. Early 16th century
Tempera on panel surfaced with gesso. 112×61 cm
Acquired from the Church of the Nativity of St. John the Baptist in Uglich

88. Icon showing St. Nicholas. 17th century
Tempera on panel surfaced with gesso. 86×67 cm

89. Icon showing the Miracle of the Archangel Michael in Konya. 17th century
Tempera on panel surfaced with gesso. 124×99 cm
Acquired from the Church of the Archangel Michael in the Woods

90. Icon showing St. John the Baptist as an Angel of the Wilderness, with Scenes from His Life. 17th or 18th century
Tempera on panel surfaced with gesso. 139×101 cm
Acquired from the Church of the Nativity of St. John the Baptist in Uglich

91. Icon showing Tsarevich Dmitry. 17th century
Tempera on panel surfaced with gesso. 126×55 cm

92. Icon showing the Selected (Uglich) Saints bearing in their hands a model of the Uglich Citadel. Early 18th century
Tempera on panel surfaced with gesso. 105 × 93 cm

93. Icon showing the New Testament Trinity. 17th century
Tempera on panel surfaced with gesso. 106 × 86 cm

94. Icon showing the Old Testament Trinity. 17th or 18th century
Tempera on panel surfaced with gesso. 135 × 102 cm
Acquired from the Cathedral of the Transfiguration in Uglich

95. Embroidered pall showing St. John the Gracious. 17th century
Couchwork in silver thread, pearl-stringing. 48 × 40 cm

96. Embroidered pall showing St. Paisius of Uglich. 17th century
Couchwork in gold and silver, woollen and silk threads. 224 × 129 cm

97. Small icons, pectoral crosses and scoop. 14th to 17th centuries
Ivory, cypress wood, silver; carving, filigree, embossed work

98. Diskos, chalice and altar cross. 17th century
Gilt silver, seed pearls; engraving, embossed work
Donated by Prince Fyodor Mstislavsky into the Alexeyevsky Monastery in 1623

99. Mitre. Cross. 18th century
Mitre: velvet, silver, pearls, glass; filigree, enamelling
Cross: silver, pearls, gems; embossed work, engraving
Donated by F. Gnezdnikov into the Church of the Prophet Elijah. 1703

100. Gospel's cover. 1790
Silver, enamel decoration; embossed work, pouncing
Acquired from the Church of St. Sergius of Radonezh near Uglich

101. Figure of St. Parasceve Pyatnitsa. 17th century
Carved wood tinted with tempera on gesso ground. Height 84 cm

102. The Crucified Christ with Interceding Saints. 17th century
Carved wood painted in oil on gesso ground. Total height 134 cm
Acquired from the Mikhailo-Arkhangelsky Monastery

103. Figure of Christ in the Dungeon. 19th century
Carved wood tinted with tempera on gesso ground. Height 102 cm

104. Anonymous
Icon portrait showing Tsar Ivan the Terrible. 18th century
Oil on canvas. 86 × 70 cm

105. Terracotta plaque and baluster from exterior decoration of Appanaged Princes' Palace. 1480s

106, Polychrome tiles with raised floral and
107. geometrical designs, from exterior decoration of the Church of the Nativity of St. John the Baptist. 17th century

108. Stove tiles with painted decoration. 18th century. From former Oparins' house

109. Stove tiles with painted decoration. 18th century. From the village of Gorki, Yaroslavl Region

110. Glazed tile with raised floral decoration. 18th century. From the Church of St. Leontius in Uglich

111. Ornamental stove tiles painted in cobalt blue. 19th century

112. Woodware: covered cylindrical vessels, mug and scoop. 18th–19th centuries
Wood, birchbark; carving, stamping, painting

113. Black-polished earthenware: *kumghan* vessels, *kvass* holder. 18th century
Earthenware, modelling, glazing, polishing

114. Carved distaffs. 18th–19th centuries
Wood; carving, painting

115. Anonymous
Portrait of Fevura Kalashnikova
First half of the 19th century
Oil on canvas. 61 × 48.5 cm
Acquired in 1892; donated by Kapelkin
Restored by V. Yegorov in 1979–80

116. Anonymous
Portrait of a Man (Uglich Citizen Kalash-nikov?)
Companion portrait to No 115
Oil on canvas. 61 × 48.5 cm
Restored by V. Yegorov in 1979–80

117. Ivan Tarkhanov. 1780–1848
Portrait of a Woman. 1837
Oil on canvas. 116 × 84 cm
Restored by V. Yegorov in 1978–79

118. Ivan Tarkhanov. 1780–1848
Portrait of a Man. C. 1837
Companion portrait to No 117
Oil on canvas. 116 × 84 cm
Restored by V. Kuzmin in 1978–79

119. Ivan Tarkhanov. 1780–1848
Portrait of Uglich Merchant Matvei Surin.
1829
Oil on canvas. 80 × 64.5 cm
Purchased from V. Serebrennikov in
Uglich in 1930
Restored by M. Furdik in 1979–80

120. Ivan Tarkhanov. 1780–1848
Portrait of Agrippina Surina, Wife of
Uglich Merchant Matvei Surin. 1829
Companion portrait to No 119
Oil on canvas. 79 × 64 cm
Purchased from V. Serebrennikov in
Uglich in 1930
Restored by M. Furdik in 1979–80

121. Ivan Tarkhanov. 1780–1848
Portrait of Pavel Surin, Son of Uglich
Merchant Matvei Surin. 1829
Oil on canvas. 79.5 × 64 cm
Restored by N. Marennikova in 1979–80

122. Ivan Tarkhanov. 1780–1848
Portrait of Eudokia Surina, First Wife to
Pavel Surin. 1829
Companion portrait to No 121
Oil on canvas. 79 × 64.5 cm
Restored by N. Marennikova in 1979–80

123. Ivan Tarkhanov. 1780–1848
Portrait of Nadezhda Surina, Second Wife
to Pavel Surin. 1845
Oil on canvas. 89.5 × 71.5 cm
Restored by P. Gornung in 1979–80

124. Ivan Tarkhanov. 1780–1848
Portrait of Uglich Merchant Pavel Surin.
1843
Oil on canvas. 88.5 × 70 cm
Restored by S. Bliznyukova in 1978–79

125. Anonymous
Portrait of Uglich Citizen Ivan Yagodin

with Daughter. 1850s
Oil on canvas. 72 × 62 cm
Restored by Ye. Yudina, Yu. Medvedev in
1983

126. Anonymous
Portrait Ivan Yagodin's Wife with Son.
1850s
Companion portrait to No 125
Oil on canvas. 72 × 64 cm
Acquired from M. Yagodina in 1974
Restored by Ye. Yudina, Yu. Medvedev in
1983

127. Pyotr Buchkin. 1886–1965
Uglich. View of the Pokrovsky Monastery.
1930
Oil on canvas. 62 × 100 cm

128. Pyotr Buchkin. 1886–1965
Old Uglich. Bank of the Volga. 1924
Watercolour. 39 × 59 cm

129. Pyotr Buchkin. 1886–1965
'Miraculous' Church at Sunset. 1924
Watercolour. 40 × 60 cm

130. Pyotr Buchkin. 1886–1965
The Uglich Citadel. 1948
Oil on cardboard. 33 × 47 cm

131. Pyotr Buchkin. 1886–1965
Uglich. By an Old Bridge. 1952
Oil on canvas. 40 × 70 cm

132. Pyotr Buchkin. 1886–1965
Uglich. The First Snow. 1952
Oil on canvas. 62 × 100 cm

На футляре:

Панорама набережной Волги
Panorama of the Volga embankment

Изразец печной из деревни Русилки.
XIX в.
Stove tile from the village Rusilki. 19th
century

Семен Евгеньевич Новиков

УГЛИЧ

Памятники архитектуры и искусства

Альбом

Рецензент кандидат искусствоведения *А. И. Комеч*

Редактор *В. П. Шагалова*
Художественный редактор *В. Д. Демидов*
Технический редактор *Т. Ю. Шарыкина*
Корректоры *Г. М. Ульянова, С. М. Мироновская*
Корректор английского текста *Л. Т. Зинько*

Сдано в набор 9. 06. 1987г. Подписано в печать 6. 05. 1988г. А02946.
Формат 70 × 108/16. Бумага мелов. Гарнитура Таймс
Печать офсет. Усл. печ. л. 16,80. Уч.-изд. л. 20,63 Уч. кр.-отт. 74,55
Тираж 30 000 экз. Зак. №. 31001. Цена 9 р. 90 к. ИЗО-150

Ордена «Знак Почета» издательство «Советская Россия» Государственного комитета РСФСР по делам издательств, полиграфии и книжной торговли. 103012,
Москва, проезд Сапунова, 13/15.
Типография „Кошут" Будапешт.
Отпегатато при посредстве
В/О „Внешторгиздат"